# Mythes grecs
# pour les petits

# Mythes grecs pour les petits

Adaptation : Heather Amery
Illustrations : Linda Edwards

Maquette : Amanda Barlow
Maquette de la couverture : Lauren Nickless
Rédaction : Jenny Tyler

Pour l'édition française :

Traduction : Roxane Jacobs

Rédaction : Renée Chaspoul et Carla Brown

# Sommaire

4

# À propos de la mythologie grecque

Il y a plusieurs milliers d'années, les Grecs racontaient des récits merveilleux, dont les personnages étaient des dieux, des monstres et des héros valeureux. Ils croyaient que les dieux et les déesses vivaient autour d'eux, dans les champs et dans les bois, dans la mer, sous la terre, ou encore dans d'immenses palais situés au sommet de l'Olympe.

Parfois, les Grecs apercevaient ces dieux et ces déesses. Mais la plupart du temps, ils étaient invisibles. Ils pouvaient se montrer généreux et attentionnés envers ceux qu'ils aimaient, mais il leur arrivait aussi d'être méchants et rancuniers, de jouer de mauvais tours et d'apparaître là où on ne les attendait pas.

Dans le monde magique de la mythologie grecque, les mortels se trouvent mêlés à des événements extraordinaires, la bêtise et la méchanceté sont punies, mais le courage et l'audace récompensés. Alors, embarque-toi pour un voyage fascinant au fil de ces récits antiques qui ont survécu à l'épreuve du temps.

# Le don du feu

Il y a bien longtemps, les dieux et les déesses de la Grèce antique vivaient dans des palais perchés au sommet de l'Olympe. Leur maître à tous s'appelait Zeus. Il était sage et très puissant, mais il lui arrivait de se montrer malveillant et de faire des bêtises. Lorsqu'il était en colère, ses doigts lançaient des éclairs et les autres dieux avaient peur de lui. Il avait épousé la déesse Héra, qui lui avait donné de nombreux enfants.

Au début, les dieux et les déesses régnaient sur un monde presque vide. De nombreux animaux s'y promenaient en liberté, mais aucun être humain n'y vivait. Les animaux avaient été créés par le dieu Épiméthée, qui s'y entendait pour fabriquer toutes sortes de choses.

Un jour, Zeus demanda à Prométhée, le frère d'Épiméthée, de créer des êtres humains pour peupler le monde.

Prométhée ramassa un peu de terre. Il s'en servit pour modeler des hommes et des femmes à l'image des dieux. Puis il souffla dessus, leur donnant ainsi la vie.

Les hommes étaient heureux sur terre, cependant, Zeus leur refusait le feu. Prométhée, qui aimait ses créatures, s'attristait de les voir frissonner la nuit.

Il se rendit alors
sur l'Olympe et, à
la dérobée, il vola un
morceau de charbon de bois
brûlant dans le palais de Zeus. Il
en fit don aux hommes et leur montra
comment en tirer du feu. De ce jour, les hommes
purent manger de la viande cuite et se réchauffer la
nuit à la lumière d'un bon feu. Leur gratitude envers
Prométhée serait éternelle.

Mais lorsque Zeus sentit le fumet de la viande qui
rôtissait et lorsqu'il vit le feu rougeoyer dans la nuit,
il devina ce qu'avait fait Prométhée. Il se mit dans
une rage terrible. « Prométhée, tu as osé me
désobéir ? tonna-t-il. Tu seras puni. »

Zeus enchaîna Prométhée sur le flanc d'une énorme
montagne. Chaque jour, un aigle descendait des
hauteurs pour lui ronger le foie, et chaque soir, le
foie se reconstituait. Prométhée souffrait terriblement,
mais il ne pouvait mourir car il était un dieu. Il lui
faudrait rester là pendant des siècles jusqu'à ce que
Zeus lui pardonne enfin son crime.

# La boîte de Pandore

Beaucoup d'hommes se réjouissaient que Prométhée leur ait fait don du feu. Cela déplaisait à Zeus, aussi décida-t-il de les punir.

Il demanda aux autres dieux de l'aider à fabriquer une femme spéciale. Celle qu'ils créèrent était très belle, très intelligente, et jouait de la musique comme personne. Zeus la baptisa Pandore.

Zeus fit alors appeler Épiméthée. « Je te donne cette femme, lui dit-il, en récompense d'avoir fabriqué tous les animaux de la terre. » Zeus offrit à Pandore et à Épiméthée une boîte verrouillée. « Prenez cette boîte et rangez-la dans un endroit sûr. Mais je vous préviens, ajouta-t-il, il ne faudra jamais l'ouvrir. »

Épiméthée remercia Zeus et se tourna vers Pandore. Elle était si belle qu'il en oublia la mise en garde de son frère Prométhée : ne jamais accepter de cadeau d'autres dieux. Il emmena Pandore et l'épousa sur l'heure.

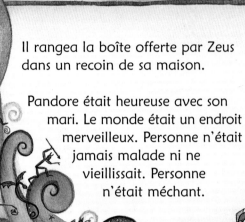

Il rangea la boîte offerte par Zeus dans un recoin de sa maison.

Pandore était heureuse avec son mari. Le monde était un endroit merveilleux. Personne n'était jamais malade ni ne vieillissait. Personne n'était méchant.

Mais Pandore se demandait ce qui pouvait bien se trouver à l'intérieur de la mystérieuse boîte. Contenait-elle des bijoux, ou quelque autre objet précieux ? Et plus elle y pensait, plus elle brûlait d'envie de le découvrir.

« Jetons juste un petit coup d'œil à l'intérieur », suggéra-t-elle à Épiméthée, avec un sourire charmeur. « Non, car Zeus nous a interdit de l'ouvrir », répondit Épiméthée en fronçant les sourcils. Il aurait fait n'importe quoi pour rendre sa femme heureuse... sauf peut-être susciter la colère de Zeus. Tous les jours, Pandore suppliait Épiméthée d'ouvrir la boîte, mais toujours il refusait.

Un matin, Pandore profita de l'absence d'Épiméthée pour se glisser dans la pièce où était dissimulée la boîte. Elle la contempla longuement, puis se décida : elle allait l'ouvrir.

Elle brisa la serrure à l'aide d'un outil. Puis, osant à peine respirer, elle souleva lentement le couvercle. Mais avant même qu'elle puisse regarder à l'intérieur, il s'en échappa un hurlement terrible, un long sanglot de douleur. Elle recula d'un bond, épouvantée. De la boîte se mirent à sortir toutes sortes de calamités : la haine et la jalousie, la cruauté et la colère, la faim et la pauvreté, la douleur et la maladie, la vieillesse et la mort.

Pandore essaya bien de refermer le couvercle, mais il était trop tard. C'est alors que, discrètement, sans faire de bruit, en sortit l'espérance.

Les hommes connaîtraient désormais la souffrance et le malheur, mais ils garderaient toujours espoir.

# Perséphone
## et les saisons

Par une matinée ensoleillée, la déesse Déméter dit au revoir à sa fille Perséphone. « Je serai de retour pour dîner », lui lança-t-elle en s'éloignant. Déméter était la déesse de toutes les plantes.

Elle veillait à ce que le blé pousse bien haut dans les champs et que les fruits mûrissent sur les arbres. Grâce à elle, il faisait toujours beau et il y avait des récoltes toute l'année.

Après le départ de sa mère, Perséphone rejoignit ses amies pour cueillir des fleurs avec elles. En quête des plus beaux lys, elle s'éloigna et se retrouva bientôt seule.

Soudain, elle entendit un bruit et leva les yeux. Elle aperçut un char tiré par quatre chevaux noirs et conduit par Hadès, le dieu des Enfers.

Ce dernier s'était épris de Perséphone, mais il savait que Déméter ne lui permettrait jamais d'épouser sa fille.

Perséphone n'eut pas même le temps de pousser un cri. Hadès l'avait saisie et l'emportait sur son char. Alors que les chevaux poursuivaient leur course effrénée, une immense faille s'ouvrit devant eux : Hadès y mena son attelage, et le sol se referma derrière eux. Il s'était engouffré dans les Enfers avec Perséphone.

Ce soir-là, lorsque Déméter fut de retour, elle appela Perséphone sans obtenir de réponse. À la tombée du jour, Déméter commença à s'inquiéter. Où pouvait donc être Perséphone ? À minuit, elle alluma une torche et partit à sa recherche. Toute la nuit, elle sonda les ténèbres, appelant : « Perséphone, Perséphone, où es-tu ? » Mais personne ne lui répondait. Pendant neuf jours et neuf nuits, Déméter chercha sa fille, oubliant de dormir et même de manger.

Vêtue de noir, elle qui portait toujours des habits de couleurs vives, Déméter erra dans tout le pays, telle une vieille femme hagarde. Comme elle ne s'occupait plus des récoltes, le blé pourrissait dans les champs. Aucun fruit ne poussait dans les arbres et l'herbe jaunissait. Les moutons et les chèvres n'avaient plus rien à manger. Bientôt, la famine menaça les hommes.

Zeus rassembla les autres dieux et déesses. « Ce qui se passe est très grave, tonna-t-il. Si nous ne persuadons pas Déméter de se remettre à la tâche, tout le monde mourra. – Hadès doit libérer Perséphone, suggéra une déesse. Sinon Déméter ne fera rien pour sauver la terre. »

Zeus fit venir Hermès, le messager des dieux. « Va voir Hadès et demande-lui le plus gentiment possible de rendre Perséphone à sa mère », ordonna-t-il. Hermès se mit immédiatement en route. Seuls les dieux et les déesses pouvaient pénétrer dans les Enfers, la demeure des morts, et en ressortir.

« Je ne laisserai jamais partir Perséphone, rugit Hadès. Je l'aime et je veux l'épouser.

– S'il te plaît, Hadès, supplia Hermès, sois raisonnable.
Tu sais que Perséphone ne t'aime pas et qu'elle refusera
de t'épouser.
– Fort bien, rugit Hadès. Je la laisserai partir si elle n'a
rien mangé. Tu connais la règle. Si elle a mangé quoi que
ce soit durant son séjour aux Enfers, elle devra y rester
pour l'éternité.
– C'est facile, répondit Hermès. Il suffit de le lui demander. »

Perséphone se mit à pleurer : « Je n'ai rien pu manger ici.
Je n'ai pas touché la moindre miette de nourriture. »

Le fantôme d'un jardinier passait par là :
« Tu mens, lança-t-il de sa voix de crécelle. Je t'ai vue.
Tu as cueilli une grenade bien mûre et tu l'as mangée.
– Non, non, se défendit Perséphone, je ne l'ai pas
mangée en entier. J'avais tellement soif, j'ai juste avalé
quelques-uns des pépins.
– C'est suffisant ! hurla Hadès.
– S'il te plaît, Hadès, supplia Hermès, rends-lui sa liberté
pour quelque temps. Deux ou trois pépins, cela ne
compte pas.
– Oh, bon ! d'accord ! grommela Hadès. Perséphone
pourra retourner sur terre la moitié de l'année, mais elle
devra passer l'autre moitié ici, avec moi, aux Enfers. »

Tenant Perséphone par la main, Hermès l'entraîna hors des Enfers et la rendit à Déméter.

« Oh ! ma chère fille ! s'écria Déméter en la serrant contre elle, te revoilà enfin.

– Oui, répondit Perséphone en sanglotant, mais je devrai retourner aux Enfers tous les ans. »

Déméter le savait, elle devait s'y résigner. D'un coup, elle retrouva sa jeunesse. Elle revêtit de nouveau ses habits de couleurs vives et se remit au travail : des pousses d'herbe et de blé sortirent de terre et les arbres se couvrirent de feuilles. Partout sur terre, le printemps était arrivé.

Tout l'été, Déméter s'activa avec bonheur, surveillant les récoltes abondantes de blé et de fruits. Mais lorsque vint pour Perséphone le moment de retourner aux Enfers, Déméter céda à la tristesse et ce fut l'automne. Sur les arbres, les feuilles jaunirent, l'herbe s'arrêta de pousser et il se mit bientôt à faire froid. L'hiver dura jusqu'au retour de Perséphone. Déméter retrouva alors le bonheur et ce fut de nouveau le printemps.

# La tapisserie
# d'Arachné

Arachné excellait dans l'art de tisser. Assise devant son métier à tisser, elle souriait et chantait en travaillant. Les habitants de son village et de tout le pays venaient admirer son travail. Arachné adorait leurs compliments et ne tarda pas à être très satisfaite d'elle-même.

« Je tisse des motifs encore plus jolis que ceux de la déesse Athéna, se vanta-t-elle auprès d'une vieille femme.
– Chut ! Athéna pourrait t'entendre, murmura la vieille femme.
– Je m'en moque », répondit Arachné tout haut.

Chacun savait combien il était dangereux de parler des dieux et des déesses. S'ils entendaient quelque chose qui leur déplaisait, il leur arrivait de se venger.

Et comme de juste, Athéna apparut à l'entrée de la maison d'Arachné. Surprise, Arachné abandonna son ouvrage, alla s'agenouiller devant la déesse du tissage et leva les yeux vers elle avec fierté.

« Je crois t'avoir
entendue prononcer
mon nom, dit Athéna.
Je suis venue voir
ton travail. » Elle
souriait, mais
sa voix était
si glacée que les
spectateurs de la scène
s'enfuirent terrifiés. Athéna
regarda la tapisserie sur le métier.

« Je dois admettre que tu tisses très bien, déclara-t-elle.
– Pourrais-tu faire mieux ? demanda Arachné
avec audace.
– C'est ce que nous allons voir, répondit Athéna. Je te
propose un petit concours, juste entre toi et moi. »

Athéna et Arachné se mirent à l'œuvre. Elles tissèrent
des jours durant, utilisant les couleurs les plus
éclatantes pour tisser les motifs les plus ravissants.
Lorsqu'elles eurent enfin terminé, elles posèrent
chacune leur ouvrage, l'un à côté de l'autre. On se
pressa pour venir les admirer et tenter de décider
lequel des deux était le plus réussi.

Athéna contempla en silence les deux magnifiques tapisseries. Puis elle se mit à hurler de rage. Elle n'était pas prête à l'admettre, mais la tapisserie d'Arachné était plus réussie que la sienne. Elle s'en saisit et la déchira avec fureur.

« Puisque tu tisses si bien, lança-t-elle à Arachné terrifiée, tu tisseras pour l'éternité et personne ne voudra de tes tapisseries. »

Elle tapota l'épaule d'Arachné, et cette dernière s'écroula sur le sol. Sous les yeux horrifiés de la foule, la jeune fille se ratatina jusqu'à ne plus être qu'une petite tache noire. Il lui poussa huit pattes et elle fila se réfugier dans un coin sombre. Athéna avait transformé l'audacieuse Arachné en araignée. Depuis ce jour, Arachné et ses nombreuses descendantes tissent des toiles magnifiques. On voit parfois celles-ci dans les coins poussiéreux ou dans les jardins, au petit matin, couvertes de rosée étincelante.

# Les douze travaux d'Héraclès

Le grand Zeus eut un fils nommé Héraclès, que les autres dieux et déesses couvrirent de cadeaux merveilleux. Héraclès était donc non seulement doté d'une force immense et d'un courage sans limite, mais aussi d'une grande gentillesse. Héra, la femme de Zeus, détestait ce bébé qui n'était pas le sien. Un jour, elle envoya deux serpents mortels se glisser dans son berceau. Bien qu'il ne soit encore âgé que de quelques mois, Héraclès les étrangla tous les deux et les jeta par terre en gloussant de bonheur. Héra ne l'en détesta que davantage.

En grandissant, Héraclès apprit à tirer à l'arc, à lutter et à jouer du luth. Il épousa Mégara, fille du roi Créon, dont il eut de nombreux enfants. Il devint bientôt célèbre pour ses hauts faits et sa force surhumaine. Mais Héra le surveillait, car elle était furieuse de le voir si heureux. Un jour, elle le rendit fou et, en proie à une rage terrible, il tua tous ses enfants.

Lorsqu'il eut recouvré sa raison, Héraclès fut horrifié de ce qu'il avait fait.

Il se rendit aussitôt au temple des dieux et supplia qu'on lui dise ce qu'il devait faire pour mériter le pardon. « Rends-toi chez Eurysthée, roi de Mycènes, dit une prêtresse. Tu seras son esclave et accompliras tous les travaux qu'il te confiera. »

# Le lion de Némée

Le roi Eurysthée confia à Héraclès les pires tâches auxquelles il pouvait penser. « Pour commencer, ordonna-t-il, tu devras tuer l'énorme lion qui terrorise mon peuple. »

Héraclès se mit aussitôt en quête du lion. Il lui fallut des semaines pour repérer les empreintes laissées dans le sol par ses énormes pattes.

Elles le menèrent jusqu'à une grotte. Héraclès attendit que le lion en sorte. Il s'approcha assez près pour jeter sa lance en direction de l'animal, mais elle ne fit que rebondir dessus. Héraclès voulut alors lacérer le lion de son épée, mais elle ne laissa aucune marque. Au désespoir, il frappa le lion de toutes ses forces à l'aide de sa massue. L'animal resta étourdi quelques instants, puis regagna sa tanière. Héraclès le poursuivit et s'en saisit. Le combat dura plusieurs heures, dans l'obscurité. Enfin Héraclès parvint à étrangler le lion.

Il traîna le cadavre de l'animal hors de la grotte et le porta jusqu'au palais d'Eurysthée, pour prouver qu'il l'avait bien tué. Le roi eut si peur qu'il sauta dans une énorme amphore de cuivre, en criant : « À l'avenir, ne rapporte plus tes trophées au palais ».

Héraclès se fit une cape avec la peau du lion. Rien ne pouvait la percer et il la portait pour se protéger. Elle lui sauva la vie à de nombreuses reprises.

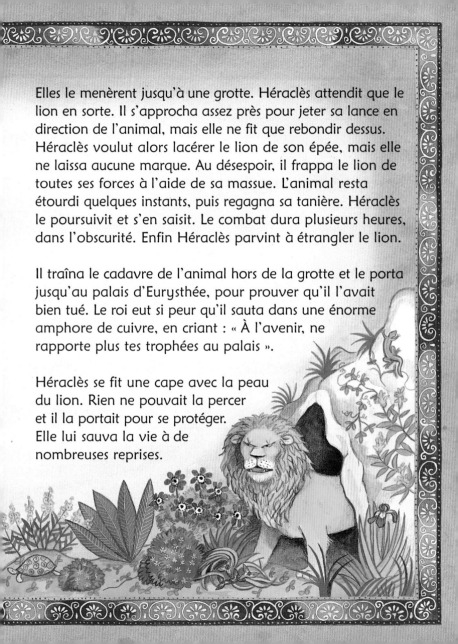

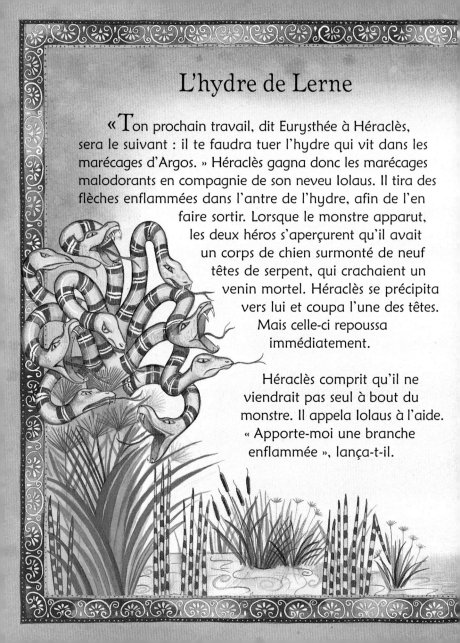

# L'hydre de Lerne

« Ton prochain travail, dit Eurysthée à Héraclès, sera le suivant : il te faudra tuer l'hydre qui vit dans les marécages d'Argos. » Héraclès gagna donc les marécages malodorants en compagnie de son neveu Iolaus. Il tira des flèches enflammées dans l'antre de l'hydre, afin de l'en faire sortir. Lorsque le monstre apparut, les deux héros s'aperçurent qu'il avait un corps de chien surmonté de neuf têtes de serpent, qui crachaient un venin mortel. Héraclès se précipita vers lui et coupa l'une des têtes. Mais celle-ci repoussa immédiatement.

Héraclès comprit qu'il ne viendrait pas seul à bout du monstre. Il appela Iolaus à l'aide. « Apporte-moi une branche enflammée », lança-t-il.

En retenant son souffle pour éviter le poison, Héraclès se précipita de nouveau vers l'hydre. Il coupa l'une des têtes et brûla le cou à l'aide de la branche enflammée, afin qu'elle ne puisse repousser. Lorsqu'il eut coupé toutes les têtes, le monstre finit par mourir.

Héraclès trempa la pointe de ses flèches dans le sang de l'hydre, qui était un poison mortel. « Elles me seront peut-être utiles un jour », confia-t-il à Iolaus. Puis tous deux regagnèrent le palais d'Eurysthée, pour savoir quelle serait la troisième tâche.

# La biche de Cérynie

« Rapporte-moi la biche aux cornes d'or, mais attention... sans la blesser », ordonna Eurysthée. Héraclès partit sur-le-champ et poursuivit la biche à travers bois et forêts pendant toute une année. C'était la plus belle des biches, mais aussi la plus rapide, c'est pourquoi Héraclès ne parvenait jamais à la rattraper.

Enfin, il la surprit immobile au bord d'un rivière. Sans

faire de bruit,
il s'en approcha
à travers les buissons.
La biche, penchée pour
boire, n'avait pas vu Héraclès.
En silence, il se précipita vers
elle et l'emprisonna dans un filet.
L'animal eut beau se débattre,
impossible de s'échapper. En
douceur, Héraclès attacha
deux par deux les pattes de
la biche, puis il la hissa sur
ses épaules massives et reprit
la direction du palais.

« Arrête ! »
Héraclès tressaillit en entendant ce cri. La déesse Artémis
apparut alors devant lui.
« Que fais-tu avec ma biche ? demanda-t-elle.
– Je la conduis chez le roi Eurysthée », répondit Héraclès.
Il entreprit alors de lui narrer ses exploits.

« Tu peux y aller, mais tu dois me promettre
de ramener cette biche dans la forêt,
saine et sauve », ordonna Artémis.
Héraclès la remercia et lui en
fit la promesse. Il reprit sa
marche vers le palais et
montra l'animal à Eurysthée.
Puis il le rendit à la forêt.

# Le sanglier d'Érymanthe

Le roi s'efforça de trouver une tâche encore plus difficile. « Il existe en Arcadie un sanglier si farouche qu'il détruit fermes et villages, dit-il. Va le capturer et ramène-le ici vivant. »

Héraclès se mit en route dès le lendemain. En chemin, il rencontra un centaure, qui avait le corps d'un cheval et la tête d'un homme. Le centaure l'invita à partager un repas. Héraclès accepta et, bientôt, le festin commença. Mais d'autres centaures sentirent la bonne chère et le vin. Furieux de ne pas avoir été invités, ils attaquèrent Héraclès et son hôte, et tentèrent de leur dérober leur repas. Héraclès saisit son arc et les repoussa d'une volée de flèches.

Le lendemain matin, Héraclès reprit ses recherches. Il lui fallut cinq jours pour repérer enfin dans la neige, sur une montagne, les traces d'un sanglier gigantesque. Il les suivit et aperçut bientôt l'animal qui avançait péniblement dans la neige. Tout en l'observant, il réfléchit à un plan.

Caché derrière un rocher, Héraclès se mit à crier de toutes ses forces. Surpris, le sanglier tenta de s'enfuir, mais s'enfonça par erreur dans une congère.

Héraclès bondit alors hors de sa cachette, il se jeta sur l'animal et réussit à l'enchaîner. Après l'avoir

installé sur son dos, il le transporta péniblement jusqu'au palais. Lorsque le roi Eurysthée découvrit le redoutable sanglier, il fut stupéfait et si terrifié... qu'il sauta de nouveau dans son amphore de cuivre.

# Les écuries d'Augias

Une fois Eurysthée revenu de sa frayeur, il fit appeler Héraclès. Fâché que celui-ci ait accompli sa dernière tâche si rapidement, il essaya de lui trouver un labeur vraiment impossible.

« Va chez le roi Augias et nettoie ses écuries. Tu devras le faire en une journée », ordonna-t-il. Lorsque Héraclès lui annonça ce qu'il était venu faire, Augias éclata de rire. « Ces écuries n'ont pas été nettoyées depuis des années, répondit-il. Mais si tu veux essayer, tu es le bienvenu, car j'aimerais bien qu'elles soient enfin propres. » Et, de nouveau, il partit d'un grand rire.

Au petit jour, Héraclès se rendit aux écuries et contempla les montagnes de fumier malodorant. Il ne pourrait jamais tout emporter. Il lui faudrait des années, or il n'avait qu'une journée.

C'est alors qu'il eut une idée. Non loin de là se trouvait un fleuve. Il passa la journée à construire un barrage et à creuser un canal depuis le fleuve jusqu'aux écuries. Lorsqu'il eut terminé, il fit sauter le barrage et le fleuve s'engouffra dans le canal qui menait aux écuries. Le torrent les traversa d'un bout à l'autre, emportant tout sur son passage, en direction de la mer.

En une journée, Héraclès avait réussi à nettoyer les écuries, désormais étincelantes et sentant bon le frais. Le soir venu, il avait redressé le cours du fleuve. En constatant ce qu'avait accompli Héraclès, Augias laissa éclater sa joie et le complimenta de son ingéniosité.

Mais lorsque Héraclès revint au palais, Eurysthée, lui, ne fut pas si content... Il pensa avoir été la dupe d'une supercherie. Nettoyer les écuries de cette façon, cela ne comptait pas. Il s'en alla réfléchir à une tâche encore plus difficile pour Héraclès.

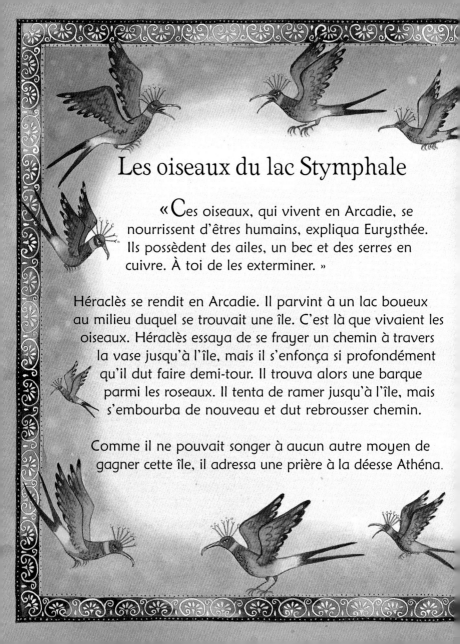

# Les oiseaux du lac Stymphale

« Ces oiseaux, qui vivent en Arcadie, se nourrissent d'êtres humains, expliqua Eurysthée. Ils possèdent des ailes, un bec et des serres en cuivre. À toi de les exterminer. »

Héraclès se rendit en Arcadie. Il parvint à un lac boueux au milieu duquel se trouvait une île. C'est là que vivaient les oiseaux. Héraclès essaya de se frayer un chemin à travers la vase jusqu'à l'île, mais il s'enfonça si profondément qu'il dut faire demi-tour. Il trouva alors une barque parmi les roseaux. Il tenta de ramer jusqu'à l'île, mais s'embourba de nouveau et dut rebrousser chemin.

Comme il ne pouvait songer à aucun autre moyen de gagner cette île, il adressa une prière à la déesse Athéna.

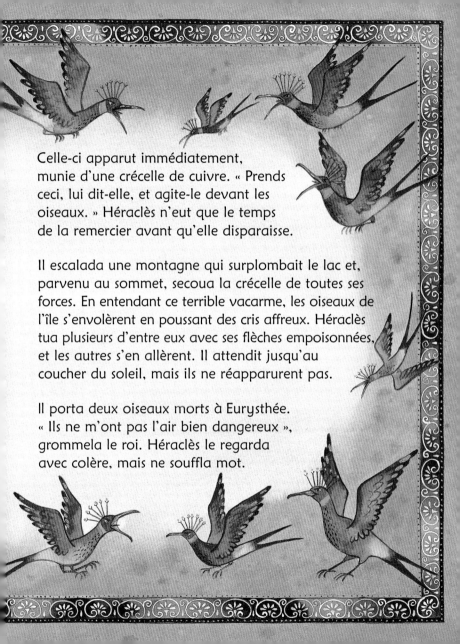

Celle-ci apparut immédiatement, munie d'une crécelle de cuivre. « Prends ceci, lui dit-elle, et agite-le devant les oiseaux. » Héraclès n'eut que le temps de la remercier avant qu'elle disparaisse.

Il escalada une montagne qui surplombait le lac et, parvenu au sommet, secoua la crécelle de toutes ses forces. En entendant ce terrible vacarme, les oiseaux de l'île s'envolèrent en poussant des cris affreux. Héraclès tua plusieurs d'entre eux avec ses flèches empoisonnées, et les autres s'en allèrent. Il attendit jusqu'au coucher du soleil, mais ils ne réapparurent pas.

Il porta deux oiseaux morts à Eurysthée. « Ils ne m'ont pas l'air bien dangereux », grommela le roi. Héraclès le regarda avec colère, mais ne souffla mot.

# Le taureau de l'île de Crète

Eurysthée décida d'assigner à Héraclès une tâche qui l'éloignerait pendant longtemps. « Tu vas te rendre en Crète, ordonna-t-il. Il y a là-bas un taureau blanc énorme, qui crache le feu. Il est devenu fou, il détruit les fermes et tue les habitants. Capture-le et rapporte-le-moi vivant. »

Héraclès gagna le port, à la recherche d'un navire et d'un équipage en partance pour la Crète. Il s'embarqua enfin. Le voyage fut long et périlleux, mais, un jour, les hautes falaises de l'île leur apparurent. Une fois à terre, Héraclès fut accueilli par le roi Minos. « Tu es le bienvenu ici », dit le roi, qui invita Héraclès dans son palais. Héraclès lui expliqua pourquoi il était venu. Le roi se réjouit à la perspective d'être débarrassé du terrible monstre. « Mais méfie-toi, le mit-il en garde, il ne s'agit pas d'un taureau comme les autres. »

Le lendemain matin, Héraclès entreprit ses recherches. Il découvrit le taureau non loin de la ville. Il se cacha parmi des oliviers et l'observa pendant quelques minutes. Il n'avait jamais vu taureau si énorme ou si menaçant. Il émergea alors de sa cachette.

Le taureau leva les yeux vers lui et se mit à frapper le sol de ses sabots, crachant le feu de ses naseaux. Puis il chargea. Héraclès se recouvrit de sa peau de lion pour se protéger et attendit que la bête arrive jusqu'à lui. Il fit alors un pas de côté. Au moment où l'animal passait devant lui à la vitesse de l'éclair, Héraclès attrapa une de ses cornes et sauta sur son dos.

Le taureau essaya de le jeter au sol, mais Héraclès tint bon. Le taureau eut beau ruer, se cabrer et accélérer, il ne parvint pas à se débarrasser d'Héraclès. Épuisée par tant d'effort, la bête finit par s'immobiliser en tremblant. Héraclès mit pied à terre, traîna le taureau jusqu'à son navire et mit le cap sur la Grèce.

En apercevant le taureau, Eurysthée eut si peur qu'il sauta directement dans son amphore de cuivre.

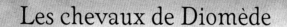

# Les chevaux de Diomède

Lorsqu'il fut ressorti de l'amphore, Eurysthée dit à Héraclès : « Ta prochaine tâche consistera à te rendre chez le roi Diomède et à me ramener ses quatre chevaux sauvages. Ils ne sont pas très gentils, tu sais ! Ce sont des mangeurs d'hommes ! »

Cette fois, Héraclès emmena quatre vaillants amis. Lorsqu'ils parvinrent au palais de Diomède, le roi fit semblant d'être content de les voir. Mais Héraclès n'avait pas confiance en lui.

Après le dîner, Héraclès et ses amis allèrent se coucher. « Ne vous endormez pas, chuchota-t-il. Le roi projette de nous tuer. J'ai entendu dire qu'il donnait ses invités en pâture à ses chevaux. »

Mais on les laissa tranquilles
durant la nuit. Juste avant l'aube,
Héraclès et ses amis sortirent par
les fenêtres de leur chambre et se
rendirent discrètement aux écuries.

Après avoir assommé les gardes endormis, ils ouvrirent
toutes grandes les portes des écuries. En découvrant ces
inconnus, les chevaux enchaînés à un pilier de bois se
mirent à piaffer et à s'ébrouer. Héraclès abattit le pilier
pour les libérer. « Dépêchons-nous de regagner le
bateau », lança-t-il à l'adresse de ses compagnons. Et
ils entraînèrent les chevaux vers la plage.

Au moment où ils atteignaient le bateau, ils
entendirent Diomède et ses soldats qui étaient à leurs
trousses. « Occupe-toi des chevaux, cria Héraclès à un
de ses amis. Vous autres, préparez-vous à combattre. »

La bataille fut brève, mais rude. À la fin, Diomède et ses hommes gisaient sur le sol, tous morts. Héraclès retourna vers les chevaux et découvrit qu'ils avaient mangé son ami. Fou de rage, il leur donna le roi en pâture. Comme par miracle, les animaux devinrent calmes et dociles. Héraclès les embarqua sur le bateau et les ramena au roi Eurysthée.

À la vue des chevaux, ce dernier devint tout pâle et hurla : « Débarrasse-moi de ces horribles créatures ! » Héraclès les conduisit hors du château et les lâcha dans les montagnes.

# La ceinture d'or des Amazones

« Ma fille voudrait la ceinture que porte toujours Hippolyte, dit Eurysthée à Héraclès. À toi d'aller la chercher et de la lui rapporter. »

Lorsque les amis d'Héraclès apprirent qu'il se rendait chez les Amazones, tous voulurent l'accompagner. Les Amazones étaient une race de farouches guerrières qui vivaient sur les bords de la mer Noire. Beaucoup de récits couraient sur leur compte, mais personne ne les avait jamais vues.

Héraclès choisit les plus valeureux de ses amis et tous s'embarquèrent pour un long voyage. Ils aperçurent enfin la terre. « Armez-vous, mes amis, commanda Héraclès, et préparez-vous pour le combat. »

Lorsque le navire accosta, quelle ne fut pas la surprise d'Héraclès et de ses hommes en voyant un groupe de femmes qui marchaient sur la plage, et leur adressaient force sourires et signes de main ! « Vous êtes les bienvenus ici, leur lança la première d'entre elles. Je suis la reine Hippolyte. Venez donc vous rassasier et vous désaltérer dans mon palais. » Héraclès et ses hommes se réjouirent de n'avoir point à livrer bataille.

Au palais, Héraclès confia à Hippolyte la raison de sa visite. « Je te fais cadeau de ma ceinture », proposa aimablement la reine en lui souriant. La déesse Héra, qui assistait à la scène, fut très fâchée de voir Héraclès s'en tirer à si bon compte. Elle chuchota à l'oreille des autres femmes : « Méfiez-vous, Héraclès veut du mal à la reine Hippolyte. »

Les Amazones la crurent et, saisissant leurs épées et leurs lances, elles attaquèrent Héraclès. Ses hommes se battirent bravement et, au cœur de la bataille, Héraclès tua Hippolyte.

« Courez vers le bateau », ordonna-t-il à ses hommes. Héraclès saisit la ceinture d'Hippolyte et regagna la plage à son tour. Les Amazones les poursuivirent, mais ils parvinrent à s'enfuir. Héraclès rapportait la précieuse ceinture, mais il était bien triste d'avoir dû tuer Hippolyte pour l'obtenir.

La fille d'Eurysthée sauta de joie en apercevant la ceinture, mais le roi rugit : « Héraclès, il te reste encore bien d'autres tâches à accomplir ! »

# Les troupeaux de Géryon

« Va chez le roi Géryon, l'ogre à trois têtes, et ramène-moi ses troupeaux », ordonna un jour Eurysthée. Le lendemain, Héraclès prit la mer en direction de l'Afrique du Nord. En longeant la côte, il eut soudain si chaud qu'il décocha une flèche à Hélios, le dieu du Soleil.

Hélios s'amusa de tant d'audace et atténua l'ardeur des rayons du soleil. Héraclès parvint bientôt à l'endroit où il devait traverser la mer. Hélios lui envoya alors une énorme jatte en or, qui flottait sur l'eau. Héraclès monta à bord de cette étrange embarcation et se laissa dériver jusqu'au royaume de Géryon.

Il aborda sur la plage et partit à la recherche des troupeaux. Il les aperçut bientôt au sommet d'une colline. Alors qu'il gravissait cette colline, Héraclès fut attaqué par un chien géant à deux têtes, les babines retroussées, la gueule écumante. Héraclès brandit sa massue et le tua d'un coup bien appliqué.

Il conduisait les troupeaux vers le bas de la colline lorsque Géryon se précipita sur lui en poussant de grands cris. Héraclès banda son arc et tua Géryon d'une seule flèche. Puis il conduisit les troupeaux jusqu'à son embarcation, les fit monter à bord et mit le cap sur sa patrie.

Bien des semaines plus tard, lorsque Héraclès fit entrer les troupeaux de Géryon dans le palais, Eurysthée ne prêta aucune attention aux animaux et se contenta de critiquer Héraclès de sa trop longue absence.

# Les pommes d'or

« Maintenant, rapporte-moi trois pommes d'or du jardin des Hespérides », ordonna Eurysthée à Héraclès. Ce dernier, qui n'avait aucune idée de l'endroit où se trouvait ce jardin, demanda à la déesse Athéna de lui venir en aide.

« Il s'agit d'un bosquet sacré, situé dans les montagnes à l'autre bout de la terre », répondit Athéna. Héraclès la remercia et, après de longs mois de voyage, ayant atteint l'extrémité de la terre, il aperçut Atlas, qui portait le ciel sur ses épaules.

« Comment puis-je obtenir les pommes d'or ?
demanda Héraclès à Atlas.

– Rends-toi dans le jardin des Hespérides et
tue le dragon qui les garde. Puis reviens ici.
Je suis le seul à pouvoir cueillir les pommes »,
répondit Atlas qui gémissait sous le poids du ciel.

Héraclès le remercia et se glissa à l'intérieur du
bosquet sacré. Enroulé autour du tronc d'un
pommier, un dragon doré le narguait de ses
yeux d'or. Héraclès le tua d'une flèche
empoisonnée. Puis il retourna voir Atlas.

« Soutiens le ciel pour moi pendant
que je vais cueillir les pommes »,
dit Atlas. Héraclès fit ce qu'il lui
demandait et Atlas s'éloigna. Il
revint avec trois pommes d'or.

« Continue à soutenir le ciel pendant que je vais les porter à Eurysthée », suggéra Atlas. Héraclès le soupçonna de quelque ruse. Il se dit qu'Atlas ne reviendrait jamais et qu'il serait coincé là jusqu'à la fin des temps.

« Je te remercie, répondit Héraclès, mais avant de partir, pourrais-tu m'aider à prendre une position plus confortable ? Soutiens le ciel un court instant, que je remette ma cape en place sur mes épaules. » Et il passa le ciel à Atlas. Une fois libre, Héraclès ramassa les trois pommes d'or, salua Atlas et se hâta de regagner le palais d'Eurysthée.

# Cerbère, le garde des Enfers

« Ta dernière tâche sera la plus difficile de toutes, confia Eurysthée à Héraclès. Tu vas te rendre aux Enfers et ramener Cerbère, le féroce chien à trois têtes qui en garde les portes. »

Héraclès savait qu'il ne pourrait trouver seul le chemin des Enfers. Il sollicita encore l'aide d'Athéna, qui lui envoya en guide Hermès, le messager des dieux. Ensemble, ils traversèrent plusieurs tunnels jusqu'au Styx, le fleuve noir qu'il fallait franchir pour pénétrer dans les Enfers.

Mais Charon, le vieux passeur, refusa de les faire traverser. « Vous savez bien que je ne peux embarquer que des morts », grogna-t-il. Héraclès insista si longtemps que Charon finit par accepter de le faire traverser lui, mais pas Hermès.

De l'autre côté du fleuve, Héraclès emprunta d'autres tunnels brumeux, croisant en chemin les fantômes de défunts. Enfin, il découvrit Hadès, le roi des Enfers, et Perséphone, assis tous deux sur leur trône nimbé de brume.

« S'il vous plaît, puis-je emmener Cerbère avec moi ? demanda-t-il.
– Tu peux prendre le chien, mais tu devras nous le rendre en parfaite santé », répondit Hadès.

Héraclès remercia Hadès et regagna en hâte les portes des Enfers, où Cerbère montait la garde. En l'apercevant, les trois têtes du chien se mirent à aboyer. Héraclès s'accroupit et attendit. Lorsque Cerbère bondit sur lui, il se battit avec le chien jusqu'à ce que l'animal s'immobilise, épuisé. Puis il le traîna jusqu'au Styx, le déposa dans la barque et regagna le palais d'Eurysthée.

En apercevant le molosse qui aboyait, l'écume aux babines, le roi poussa un cri de terreur et se réfugia dans sa chère amphore de cuivre. « Voilà, cria Héraclès, j'ai terminé mes travaux, je ne suis plus votre esclave. Je suis libre. » Et il reconduisit Cerbère aux Enfers.

Puis il se rendit au temple des dieux et s'agenouilla devant la prêtresse. « Héraclès, dit-elle, tu as prouvé que tu étais fort et très courageux. Tu es pardonné d'avoir tué tes enfants. »

Héraclès la remercia et quitta le temple, l'esprit en paix. Les dieux et les déesses étaient si contents de lui qu'ils l'invitèrent sur l'Olympe. Zeus son père l'accueillit en ces termes : « Je t'adresse toutes mes félicitations ». Héraclès séjourna quelque temps au palais avant de partir vivre de nouvelles aventures.

# Écho et Narcisse

Écho était une nymphe qui n'arrêtait jamais de parler. Elle se promenait à travers la forêt, sans cesser de pérorer, ni de rire aux éclats. Irritée par ce tapage, la déesse Héra finit par lui demander de se taire, mais Écho ne pouvait se contenir, c'était plus fort qu'elle ! Un jour, Héra découvrit qu'elle était non seulement bavarde, mais aussi menteuse ; elle se mit alors très en colère.

Pointant vers Écho un index vengeur, elle s'écria : « Tais-toi, je te l'ordonne ! À partir de maintenant, tu ne feras plus que répéter ce que les autres te disent. » Écho ouvrit la bouche pour protester, mais aucun son n'en sortit. « Tu peux t'en aller maintenant, ordonna Héra. – Tu peux t'en aller maintenant », répéta Écho.

Elle essaya de crier, mais en vain. Horrifiée, elle se mit à errer dans les bois. À partir de ce jour funeste, elle se retrouva seule, et si malheureuse ! Plus aucun de ses amis ne voulait de sa compagnie.

Un jour, elle rencontra Narcisse. Écho se cacha pour l'observer. Elle n'avait jamais vu de si beau jeune homme et tomba follement amoureuse de lui. Elle se mit à le suivre pas à pas, chaque jour. Souvent, Narcisse la surprenait. Au début, il ne lui prêta guère attention : il avait l'habitude que les jeunes filles tombent amoureuses de lui. Mais il finit par se fâcher de voir que la nymphe le suivait partout.

« Va-t'en. Crois-tu que je t'aime ? dit-il, à bout de patience.
– Je t'aime, je t'aime, répéta Écho.
– Laisse-moi seul, ordonna Narcisse.
– Seule, seule », répéta Écho.

Elle continua d'errer tristement dans les bois. Au fil des semaines, elle devint de plus en plus maigre, de plus en plus pâle, puis finit par disparaître complètement. Seule subsista sa voix, qui répétait toujours ce que les autres disaient.

Les jours suivants, Narcisse ne s'aperçut même pas de l'absence d'Écho dans les bois. Il lui arrivait seulement, parfois, d'entendre sa voix. La déesse Artémis décida de punir Narcisse d'avoir été si orgueilleux et si cruel. Un jour qu'il était seul, elle le fit asseoir devant une mare et lui demanda de contempler les profondeurs de l'eau. Il aperçut alors un visage : comme il ne s'était jamais vu dans une glace, il ignorait que c'était son reflet ! Jamais auparavant il n'avait vu si beau visage : il en tomba immédiatement amoureux. Chaque jour, il allait contempler son reflet dans la mare. Il fut surpris de découvrir que, s'il parlait, ce beau visage remuait lui aussi les lèvres. Mais lorsqu'il essayait de l'embrasser, il disparaissait sitôt que ses lèvres touchaient l'eau. S'il attendait que la surface de l'eau redevienne immobile, le visage réapparaissait. À de nombreuses reprises, il supplia le visage de venir à lui, mais jamais son souhait ne fut exaucé.

Se sentant rejeté, ivre de douleur, Narcisse finit par se tuer. À l'endroit où reposait son corps apparut une grande fleur aux pétales blancs. Cette fleur pousse au printemps. On l'appelle narcisse.

# Icare et Dédale

Minos, roi de Crète, était un homme cruel et malveillant. Un jour, il envoya un message à Dédale, célèbre sculpteur et inventeur. « Viens sur mon île en compagnie de ton fils. J'ai du travail pour toi. »

Dédale et son fils Icare s'embarquèrent immédiatement pour la Crète. Une fois sur place, ils furent accueillis par le roi dans son immense palais de Cnossos. « Je veux que vous construisiez un labyrinthe secret dans les sous-sols du palais, ordonna Minos. Mais vous n'en soufflerez mot à personne. Je veux qu'il y ait des tunnels si tortueux que quiconque y pénétrera n'en pourra plus jamais sortir. »

Dédale ne savait pas pourquoi le roi désirait cet étrange sous-sol, mais lui et son fils obéirent aux ordres et se mirent au travail. Lorsque le labyrinthe fut enfin terminé, Dédale découvrit son secret. Il servirait de prison où Minos enfermerait le Minotaure, terrible monstre à tête de taureau et à corps d'homme qui dévorait les êtres humains.

Lorsque Dédale alla trouver le roi pour se faire payer, Minos refusa. « Toi et ton fils, vous êtes les seules personnes au monde à pouvoir ressortir vivantes du labyrinthe.

Je ne peux pas vous laisser partir ! » hurla-t-il.

Le roi appela ses gardes, qui emmenèrent Dédale et son fils et les enfermèrent dans un donjon. Bien qu'ils aient assez à manger, les deux prisonniers ne pensaient qu'à une chose : s'évader. En regardant des oiseaux s'envoler en direction de la mer, Dédale eut soudain une idée.

Chaque jour, il déposait de la nourriture pour les oiseaux qui venaient se percher sur le rebord de la fenêtre. Chaque jour, il recueillait quelques-unes de leurs plumes. Au bout de plusieurs mois, il se mit au travail en secret, de sorte que les gardes ne s'aperçoivent pas de ce qu'il faisait.

Un matin, Dédale réveilla Icare très tôt. « Enfin, tout est prêt ! Nous partons. » Icare écarquilla les yeux en voyant son père tirer de dessous son lit quatre ailes immenses. Il les avait fabriquées avec des plumes, qu'il avait collées ensemble à l'aide de cire.

« Allons, debout ! ordonna Dédale à Icare. Je vais fixer deux ailes à tes épaules et à tes bras. Ensuite, tu attacheras l'autre paire à mes propres épaules. » Cela fait, il s'écria : « Nous sommes prêts. Viens près de la fenêtre, mon fils ! » Tous deux prirent place sur le rebord de la fenêtre.

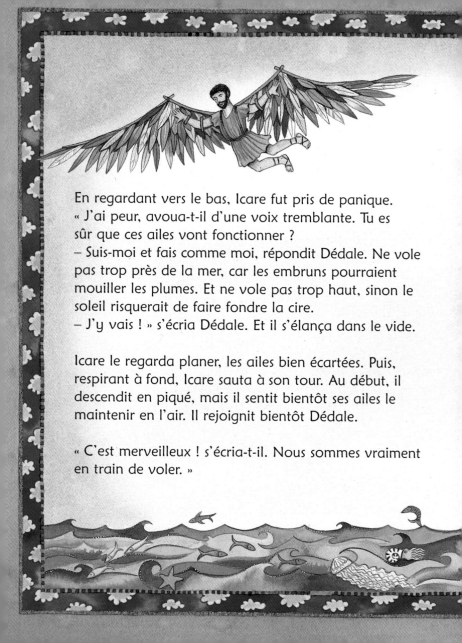

En regardant vers le bas, Icare fut pris de panique.
« J'ai peur, avoua-t-il d'une voix tremblante. Tu es
sûr que ces ailes vont fonctionner ?
– Suis-moi et fais comme moi, répondit Dédale. Ne vole
pas trop près de la mer, car les embruns pourraient
mouiller les plumes. Et ne vole pas trop haut, sinon le
soleil risquerait de faire fondre la cire.
– J'y vais ! » s'écria Dédale. Et il s'élança dans le vide.

Icare le regarda planer, les ailes bien écartées. Puis,
respirant à fond, Icare sauta à son tour. Au début, il
descendit en piqué, mais il sentit bientôt ses ailes le
maintenir en l'air. Il rejoignit bientôt Dédale.

« C'est merveilleux ! s'écria-t-il. Nous sommes vraiment
en train de voler. »

Ils s'éloignèrent à tire-d'aile. Enfin, ils s'étaient échappés de leur donjon ! Tout à sa joie, Icare fondit tel un aigle vers la surface de l'eau et remonta vers le ciel aussi haut que ses ailes le portaient. Il avait oublié le conseil de son père. Il avait oublié qu'il ne devait pas s'approcher du soleil.

Ce qui devait arriver arriva : la chaleur du soleil fit fondre la cire et les plumes commencèrent à se détacher.

Sous les yeux horrifiés de Dédale, Icare descendit en chute libre et s'abîma dans les flots, où il se noya. Dédale n'avait rien pu faire pour sauver son fils. Tristement, il poursuivit son vol jusqu'en Sicile, où il atterrit sans encombre.

# Bellérophon
## et le cheval ailé

Le prince Bellérophon, en exil, vivait heureux à la cour du roi Protée. Mais un jour, la femme du roi lui confia que le jeune et beau prince l'avait insultée. Ignorant qu'il s'agissait là d'un mensonge, le roi se mit très en colère. Il aurait voulu tuer Bellérophon, mais savait qu'il ne pourrait pas nuire à un hôte sans offenser les dieux. Et cela risquait d'avoir des conséquences terribles.

Pour se débarrasser de Bellérophon, le roi lui demanda : « Pourrais-tu aller porter cette lettre au roi de Lycie ? » Bellérophon accepta bien volontiers de lui rendre ce service. Ce qu'il ne savait pas, c'est que dans cette lettre, Protée demandait au roi de Lycie de tuer son messager.

Lorsque Bellérophon arriva à destination au terme d'un périlleux voyage, le roi de Lycie l'accueillit à bras ouverts. Il mit de côté la lettre de Protée et oublia de l'ouvrir pendant neuf jours. Lorsqu'il lut enfin la lettre, lui-même s'était pris d'amitié pour le sympathique prince, et il ne souhaitait pas non plus tuer l'un de ses invités.

C'est alors qu'il songea à la Chimère. Ce monstre avait une tête de lion, un corps de chèvre et une queue de serpent. « J'ai besoin d'un homme courageux comme toi, dit-il à Bellérophon. Pourrais-tu débarrasser mon royaume de cette terrible créature ? Elle tue mes sujets et rend leur terres inutilisables. Beaucoup d'hommes ont essayé de la vaincre et sont morts courageusement. Je suis sûr que toi, tu réussiras à la tuer. » Mais en réalité, le roi était persuadé que la Chimère tuerait Bellérophon.

Le jeune prince accepta de relever ce défi. Juste avant son départ, un vieux sage lui donna ce conseil : « Tu ne tueras ce monstre que si tu arrives à monter Pégase, le cheval aux grandes ailes blanches. Mais personne n'y est encore jamais parvenu. »

Bellérophon ne savait pas s'il fallait croire ou non le vieil homme. Mais quoi qu'il en soit, il partit à la recherche de la Chimère. En chemin, la déesse Athéna lui apparut soudain. « Prends ceci », lui dit-elle en lui tendant une bride en or. Elle disparut avant qu'il n'ait le temps de la remercier.

Un soir, Bellérophon aperçut Pégase qui se désaltérait dans un ruisseau. Il s'approcha à pas de loup et passa

la bride au cou de l'animal. Celui-ci
se débattit, rua, se cabra, poussa des
hennissements de colère. Mais Bellérophon
tint bon. Lorsque le cheval se fut enfin
calmé, Bellérophon prit place sur son dos.

Pégase battit des ailes et s'envola. Ils survolèrent plaines et
montagnes jusqu'à ce que Bellérophon repère la Chimère.
Il tira alors sur la bride et Pégase fondit vers le monstre.

La Chimère se mit à cracher le feu, et sa queue de serpent,
du venin. Mais Bellérophon, en sécurité sur le dos de
Pégase, esquiva ses attaques. Il tira une flèche dans les

flancs du monstre, puis une autre
dans sa gueule. La Chimère était morte.

Bellérophon fut accueilli en héros à la cour du roi de
Lycie. Ce dernier, enchanté d'être débarrassé de la
Chimère, dit au jeune prince : « Tu peux épouser ma
fille, et je te donnerai de bonnes terres où prospérer. »

Durant les années qui suivirent, Bellérophon devint
célèbre pour ses actes de courage. Où qu'il aille, ce
n'étaient que louanges. Mais il devint vaniteux, et
lorsqu'on le comparait à un dieu, il finissait par le croire.

Bellérophon se disait que, s'il était l'égal des dieux, il devrait leur rendre visite. Il enfourcha donc de nouveau sa monture ailée pour se rendre sur l'Olympe. Zeus, maître des dieux, en conçut une grande fureur. Il envoya un insecte piquer Pégase sous la queue. Le cheval fit une ruade et envoya Bellérophon voler dans les airs.

Zeus le regarda tomber, jusqu'à ce qu'il s'écrase. Bellérophon fut seulement blessé. Seul et malheureux, il entama une longue errance. Personne ne voulait plus s'approcher de l'homme qui avait suscité la colère du puissant Zeus.

# Jason et
# la Toison d'or

Jason n'était encore qu'un bébé lorsque son oncle Pélias, un bien méchant homme, ravit le royaume de son père. Afin de garantir sa sécurité, le père de Jason envoya son jeune fils en secret dans de lointaines montagnes. Là, il vécut dans une grotte, sous la protection de Chiron, vieux centaure – mi-homme, mi-cheval – pétri de sagesse. Chiron lui enseigna la lutte, le tir à l'arc, et bien d'autres choses encore.

Lorsque Jason eut vingt et un ans, Chiron lui dit : « Le moment est venu pour toi de te rendre chez ton oncle Pélias et d'exiger le trône qui te revient de droit. »

Jason se mit en route pour Iolcos, la ville où vivait son oncle. En chemin, il lui fallut traverser un grand fleuve. Assise sur l'une des berges se trouvait une vieille femme. « Jeune homme, fit-elle d'une voix rauque, veux-tu m'aider à traverser le fleuve ? » Jason fixa la vieille femme, puis les remous. Il n'était pas rassuré, mais il avait bon cœur.

« Grimpez sur mon dos », lui dit-il en se penchant pour l'aider.

Il entama la traversée du fleuve, mais l'eau devenait de plus en plus profonde, et la vieille femme sur son dos pesait de plus en plus lourd. Parvenant tout juste à garder la tête hors de l'eau, Jason poursuivit sa traversée, mais perdit une sandale dans la vase.

Haletant, épuisé, il parvint enfin sur l'autre berge et reposa la vieille femme en douceur. « Continue ton voyage et, un jour, tu seras un grand héros », lui dit-elle. Juste au moment où Jason allait lui demander la signification de cette promesse, la vieille femme se volatilisa. Il ne s'était pas rendu compte qu'il s'agissait de la déesse Héra.

Après un moment de repos, Jason reprit sa marche et, plusieurs jours après, il atteignit enfin Iolcos. Dans les rues, on regardait avec étonnement ce jeune homme qui ne portait qu'une sandale. Sans y prêter attention, il se dirigea tout droit chez son oncle. En le voyant arriver, celui-ci fut terrifié. En effet, on l'avait prévenu qu'un jour, un homme ne portant qu'une sandale viendrait lui dérober son trône.

« Je sais qui tu es et pourquoi tu es venu, dit Pélias à Jason. Tu auras le trône si tu me rapportes la Toison d'or de Colchide. » Pélias en était certain, Jason échouerait. Il savait que le voyage jusqu'en Colchide était très long et semé d'embûches, et que la Toison était gardée par un serpent cruel aux yeux d'or toujours ouverts.

Jason, qui ne ressentait aucune crainte, accepta immédiatement et se mit en route. Il se rendit au bord de la mer et demanda à Argus de lui construire un navire spécial. Lorsqu'il fut terminé, Jason le baptisa Argo. C'était un beau navire, rapide, aux formes élancées, doté de rames, d'un mât solide et d'une voile immense.

Jason était occupé à le contempler lorsque, soudain, la déesse Athéna apparut devant lui. Elle lui tendit une branche de chêne. « Cette branche protégera ton navire », lui confia-t-elle. Ravi, Jason la remercia. Puis il attacha soigneusement la branche de chêne à la proue de l'Argo.

# L'Argo prend la mer

Lorsque la nouvelle du voyage de Jason se répandit, princes, aventuriers, fils de dieux et bien d'autres encore voulurent faire partie de l'équipage de l'Argo. Jason choisit cinquante d'entre eux. Il y avait Orphée, qui jouait de la lyre et chantait si harmonieusement que même les animaux sauvages venaient l'écouter.

Il y avait aussi Atalante, la chasseresse, le puissant Héraclès et les fils jumeaux du Vent du Nord, qui pouvaient voler grâce aux ailes qu'ils portaient aux chevilles. Jason baptisa son équipage les Argonautes.

Un matin, à l'aube, ils chargèrent le navire de vivres et d'amphores pleines d'eau douce, puis ils se mirent en route.

Sur le rivage, la foule salua leur départ. Au début, la mer fut agitée, et les vents se déchaînèrent contre le navire. Puis les dieux décidèrent de se montrer plus cléments et firent souffler une forte brise dans la bonne direction. L'équipage put enfin hisser la voile et le navire se mit à fendre l'eau.

Durant les quelques semaines qui suivirent, les Argonautes durent traverser des eaux parsemées de récifs et affronter des tempêtes. Lorsqu'ils abordaient dans une île pour s'approvisionner, ils étaient souvent attaqués par des peuplades farouches et par des monstres sanguinaires. Mais, à force de courage, ils surmontèrent tous ces périls.

# Les Harpies

Aux abords de la mer Noire, les Argonautes firent halte sur une île pour demander conseil au roi Phinée quant aux dangers à venir. Très vieux, aveugle, Phinée vivait dans une maison sombre et lugubre.

« Je veux bien t'aider, fit le roi d'une voix chevrotante, si tu me débarrasses des Harpies. Chaque fois que j'essaie de manger, elles s'abattent sur moi et me volent mon repas. Je meurs de faim. »

Les Argonautes préparèrent un repas : aussitôt, les Harpies descendirent du ciel en poussant d'abominables cris. Elles avaient un horrible visage de femme et un corps de vautour. Les hommes les attaquèrent avec leurs épées. Certaines d'entre elles s'échappèrent, mais les fils jumeaux du Vent du Nord les pourchassèrent, et elles ne revinrent jamais.

# Les deux rochers

En attendant le retour des jumeaux, les Argonautes préparèrent un festin pour le roi Phinée. Lorsque le roi reconnaissant les eut remerciés pour ce repas, le premier qu'il ait pris depuis bien longtemps, il dit à Jason : « Poursuis ton voyage, mais prends garde aux Symplégades : ce sont deux terribles rochers. Lorsqu'un navire passe au milieu, ils se rejoignent et l'écrasent. »

Il expliqua alors à Jason et à ses hommes comment surmonter cette épreuve. Puis, ayant repris place à bord de l'Argo, l'équipage s'éloigna de l'île. Le lendemain, il parvint à l'entrée de la mer Noire. Droit devant se trouvaient d'imposantes falaises, de chaque côté d'un détroit resserré. C'étaient les deux rochers. Jason lâcha une colombe qu'il avait amenée avec lui. Elle passa entre les deux rochers, qui se refermèrent aussitôt, et la colombe y perdit quelques plumes. Lorsque les rochers se séparèrent de nouveau, Jason hurla : « Ramez de toutes vos forces ! » L'équipage rassembla toute l'énergie dont il était capable.

Au moment où l'Argo passait entre les deux rochers, ces derniers se mirent à se rapprocher. Mais la déesse Athéna, consciente du danger, déclencha une vague énorme qui propulsa le navire vers l'avant. Les rochers se heurtèrent avec fracas une seconde à peine après que l'Argo eut franchi le détroit. Le navire poursuivit son chemin dans les eaux paisibles de la mer Noire.

Au fil de son voyage, l'Argo fit escale, tantôt sur une île, tantôt dans un port. Parfois, les Argonautes étaient accueillis à bras ouverts. Parfois, il leur fallait combattre des ennemis farouches pour pouvoir repartir. Enfin, ils atteignirent le fleuve qui menait en Colchide et jetèrent l'ancre pour la nuit.

# Des taureaux crachant le feu et des dents de dragon

Le lendemain matin, Jason et deux de ses amis se mirent en route vers le magnifique palais du roi Æétès. C'était un roi cruel, qui gouvernait son peuple d'une main de fer. Il vint à leur rencontre, leur souhaita la bienvenue et feignit l'amitié.

« Je suis venu chercher la toison d'or, expliqua Jason. Si je la rapporte à mon oncle Pélias, il me rendra le trône.
– Tu peux prendre la toison, répondit Æétès, qui ne souhaitait nullement en être dépossédé. Mais d'abord, tu devras exécuter les tâches que je te confierai. »
Jason répondit qu'il ferait tout ce qu'il lui demanderait.
« Tu devras labourer un champ avec deux taureaux crachant le feu. Puis tu y sèmeras des dents de dragon », ordonna le roi.

À côté d'Æétès se trouvait sa fille Médée, qui était tout ouïe. Elle était tombée amoureuse de Jason dès qu'elle l'avait aperçu et décida d'user de ses pouvoirs magiques pour lui venir en aide. Elle le savait, il ne réussirait jamais seul.

Le soir venu, elle se glissa hors du palais et s'en alla cueillir des herbes magiques dans la montagne. Elle en fit un onguent, qu'elle prépara en récitant des incantations. En secret, elle le remit à Jason, en lui disant de s'en passer sur tout le corps. Il le protégerait du feu craché par les taureaux.

Le lendemain matin, Jason se dirigea d'un pas décidé vers le champ pour y affronter les taureaux. Æétès, Médée, les Argonautes et tous les habitants de la ville étaient venus pour le voir à l'œuvre. Il s'approcha de la grotte où vivaient les taureaux. Ces derniers en sortirent bientôt en poussant un mugissement féroce, crachant le feu, piétinant le sol de leurs sabots de bronze.

Les flammes roussirent le sol tout autour de Jason, mais sans le toucher. L'onguent magique préparé par Médée fonctionnait à merveille. Jason s'approcha tout près des taureaux gigantesques, sauta sur le dos du premier

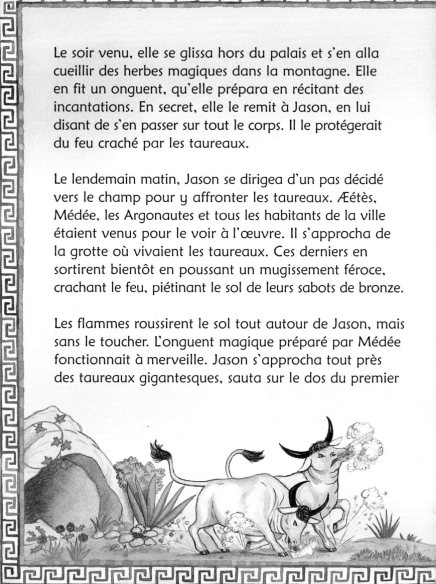

et l'empoigna par les cornes. Puis il contraignit les deux animaux à s'agenouiller, tout en les caressant pour les apaiser. Et il leur passa un licol autour du cou.

La foule ébahie regarda en silence Jason conduire les taureaux à travers le champ et retourner la terre. Il travailla toute la journée, labourant dans un sens, puis dans l'autre. Æétès, furieux de la réussite de Jason, lui remit alors un casque rempli de dents de dragon.

De nouveau, Jason dut arpenter le champ, cette fois pour y semer les dents. De chaque dent plantée jaillissait un soldat en arme. Mais Médée avait dit quoi faire à Jason. Il souleva un énorme rocher et le jeta au milieu des soldats. Se croyant attaqués, ils se mirent à se battre entre eux. Bientôt, ils gisaient tous sur le sol, morts ou blessés.

Les habitants de la ville poussèrent des cris de joie. Mais Æétès enrageait en silence. Quant à Médée, elle riait sous cape. En effet, elle ne voulait pas que son père soupçonne qu'elle avait aidé Jason...

# La Toison d'or

Cette nuit-là, Médée se faufila hors du palais et courut vers le fleuve. Sur l'Argo, tout le monde dormait à poings fermés. « Jason, murmura-t-elle, en le secouant pour le réveiller. Mon père a décidé de tous vous tuer et de brûler votre navire cette nuit. Vous devez partir sans attendre. »

Jason réveilla l'équipage. Chacun prit aussitôt place à son poste et, en silence, l'Argo s'éloigna dans la nuit. Les Argonautes le cachèrent dans les roseaux, à bonne distance de la ville.

« Suis-moi », dit Médée à Jason, avant de l'entraîner à travers une forêt ténébreuse, jusqu'à un chêne géant. La Toison d'or était suspendue à une branche. Mais tout autour du tronc était enroulé un serpent immense, et ses yeux dorés ne se fermaient jamais. Lorsqu'il aperçut Jason et Médée, il émit un sifflement sinistre et montra ses crochets.

Médée avança vers lui, entonnant une incantation. Les paupières du serpent s'alourdirent, et il s'endormit...

Jason escalada l'arbre, s'empara de la toison et regagna le sol. Suivi de Médée, il traversa de nouveau la forêt en courant et regagna son bateau. « J'ai la Toison d'or ! cria Jason à l'équipage, nous devons repartir sans attendre. »

Jason et Médée montèrent à bord de l'Argo, et les rameurs ne ménagèrent pas leurs efforts pour rallier la mer au plus vite. Mais l'un des gardes d'Æétès les aperçut et se hâta d'aller porter la nouvelle à son roi. Furieux que Jason soit en possession de la Toison d'or, Æétès envoya ses navires les plus rapides à la poursuite de l'Argo. « Nous devons le rattraper et récupérer la Toison d'or », ordonna-t-il.

Les navires du roi pourchassèrent l'Argo et le rattrapèrent en peu de temps. Les Argonautes durent livrer bien des batailles avant de pouvoir échapper aux soldats d'Æétès et de regagner Iolcos.

Jason apporta la Toison d'or à Pélias et exigea le trône en retour. Abasourdi et fort mécontent de constater que Jason était rentré sain et sauf, Pélias ne put cependant qu'accéder à sa requête. Pendant de nombreuses années, Jason et Médée vécurent heureux. Elle hérita du trône de Corinthe, et Jason en devint du même coup le roi. Il régna sur ses deux royaumes avec sagesse.

# Le roi Midas

Le roi Midas était cupide et un peu sot, mais il pouvait également se montrer bon et généreux. Un beau jour, Silène, vieux satyre au corps de chèvre et à tête d'homme, arriva à son palais, affamé et épuisé après plusieurs jours passés à errer dans les montagnes. Midas lui donna à manger et prit soin de lui.

Silène était un compagnon du dieu Dionysos, qui fut très satisfait de la façon dont Midas avait traité le satyre. Dionysos alla trouver le roi :

« Je t'accorde un souhait. Tu peux avoir tout ce que tu veux », dit-il.
Midas réfléchit un long moment, puis un sourire éclaira son visage.
« J'aimerais pouvoir changer en or tout ce que je touche.
– Ce pourrait être dangereux. Es-tu certain qu'il s'agisse là d'un choix très sage ? demanda Dionysos.
– Oui, oui, c'est bien ce que je veux, répondit Midas avec excitation.
– Très bien, fit Dionysos, ton souhait est exaucé. »
Sur ces mots, il disparut.

Midas regarda autour de lui. Puis il tendit la main et la posa sur une table. Elle se transforma aussitôt en or étincelant.

« C'est merveilleux ! s'exclama Midas en riant aux éclats. Je suis l'homme le plus riche du monde. » Et il partit faire le tour de son palais, touchant au passage chaises, murs, portes, planchers, colonnes et ornements, sacs de blé et tissus : tout se transformait en or.

Il fit préparer un festin. Dès que le repas fut servi sur la table en or, Midas toucha les assiettes. Il avait toujours rêvé de manger dans des assiettes en or. Mais quand il voulut porter la nourriture à sa bouche, elle se transforma aussi en or. Il se rendit alors compte qu'il ne pouvait plus ni manger, ni boire.

Son jeune fils se précipita vers lui en criant : « Mon père, qu'est-il donc arrivé au palais ? » Midas prit la main de son fils et, aussitôt, celui-ci se transforma en statue d'or. « Mais qu'est-ce que j'ai fait ? » se lamenta alors Midas.

Le soir venu, seul et affamé, Midas implora Dionysos de le sauver avant qu'il ne meure de faim. « Je t'avais prévenu, fit Dionysos, apparaissant soudain devant le roi. Demain, tu iras te baigner dans le fleuve et cette malédiction sera levée. Mais que cette mésaventure te serve de leçon ! »

Le lendemain matin, Midas se hâta de gagner le fleuve et plongea dans l'eau. Lorsqu'il en ressortit, il toucha le sol sur la berge du fleuve : la vase ne se transforma pas en or. « C'est fini », soupira-t-il de soulagement. Lorsqu'il retourna au palais, tout ce qui s'était transformé en or était redevenu normal, et son jeune fils se précipita à sa rencontre.

Midas venait d'apprendre que la cupidité est un vilain défaut, mais il n'était pas devenu plus intelligent pour autant. Un jour, les dieux Pan et Apollon organisèrent un concours pour savoir lequel des deux jouait le mieux de son instrument. Apollon joua si bien de la lyre que les oiseaux s'arrêtèrent de chanter pour l'écouter. Ce fut alors au tour de Pan, qui joua une triste mélodie avec sa flûte.

Le juge annonça immédiatement qu'Apollon était le vainqueur. Mais Midas, qui les avait écoutés, s'exclama : « Moi, je pense que le meilleur, c'est Pan ! »

Furieux, Apollon répliqua : « Alors, c'est que tes oreilles fonctionnent mal. Elles sont sans doute trop petites. Je vais les agrandir. » Et de pointer un doigt vengeur vers Midas.

Le roi porta ses mains à sa tête et sentit deux longues oreilles velues, semblables à celles d'un âne. Se dissimulant sous sa cape, il s'enfuit à toutes jambes au palais.

Il avait trop peur qu'on se moque de lui. À partir de ce jour, il cacha ses oreilles sous un grand bonnet. Il le gardait même dans son lit. Mais comme ses cheveux étaient de plus en plus longs, il dut se résoudre à aller chez le coiffeur.

Midas fit jurer au coiffeur de ne jamais parler à qui que ce soit de ses grandes oreilles. « N'en souffle mot à personne, tu signerais ton arrêt de mort », dit-il. Le coiffeur promit de garder le secret. Pendant plusieurs semaines, il tint sa promesse. Mais il mourait d'envie d'en parler à quelqu'un. N'y tenant plus, le coiffeur alla à la rivière, creusa un trou et chuchota dedans : « Le roi a des oreilles d'âne. » Puis il reboucha le trou, certain que le secret serait bien gardé.

Au printemps, des roseaux poussèrent sur les berges du fleuve. Un jour que le vent soufflait, ils se mirent à frémir et à gémir : « Le roi a des oreilles d'âne, le roi a des oreilles d'âne... » Bientôt, tout le monde fut au courant du secret de Midas et comprit alors que c'était un homme bien sot.

# Les aventures de Persée

Poussé par le vent, un énorme coffre en bois flottait à la surface de la mer. Un beau jour, il vint s'échouer sur l'île de Sériphos. Un pêcheur le trouva, souleva le couvercle et fut frappé d'étonnement en découvrant à l'intérieur une mère et son bébé.

Ils y avaient été placés par le père de la femme, le roi Acrisios, à qui l'on avait dit que son petit-fils le tuerait. Comme il ne pouvait supporter l'idée de tuer sa fille, Danaé, et son petit-fils, Persée, il les avait enfermés dans le coffre qu'il avait abandonné en mer.

Le pêcheur conduisit Danaé et Persée jusqu'à Polydectès, le roi de l'île, qui se montra très bon et généreux envers eux. Persée devint un jeune homme intelligent et vigoureux. Mais il était bien malheureux,

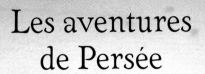

car le roi Polydectès voulait épouser sa mère. Or, il savait qu'en dépit de sa gratitude envers le roi, Danaé lui avait refusé sa main chaque fois qu'il la lui avait demandée.

Polydectès décida que si Persée s'en allait, Danaé changerait d'avis. Il appela le jeune homme et, d'un ton amical, lui tint ce langage : « Persée, tu vis dans mon palais depuis suffisamment longtemps. Le moment est venu de prouver quel homme fort et courageux tu es. Je veux que tu me rapportes la tête de Méduse, la Gorgone. »

# La tête de Méduse

Polydectès savait très bien que beaucoup d'hommes avaient essayé de tuer Méduse mais sans succès. C'était un monstre hideux, avec des serpents en guise de chevelure, et quiconque la regardait était aussitôt transformé en pierre. Le roi en était sûr, Persée échouerait lui aussi.

Persée fixa longuement Polydectès. Il ne se sentait pas très courageux. Mais il savait qu'il devait relever ce défi : « Je m'en vais tout de suite, dit-il, et je te rapporterai la tête de Méduse. »

Les dieux, qui observaient Persée, décidèrent de l'aider. Au début du voyage qui le conduirait jusqu'à Méduse, la déesse Athéna lui apparut. « Prends ce bouclier », ordonna-t-elle. Et elle lui expliqua comment s'en servir. Quant au dieu Hermès, il lui fit don d'une paire de sandales ailées, afin qu'il puisse se déplacer rapidement, d'un casque qui le rendrait invisible, d'une faucille et d'un sac magique.

Ainsi équipé, Persée s'envola, traversa la mer et gagna les montagnes du Nord, où vivait Méduse. Enfin, il se posa sur une plaine rocailleuse et suivit un chemin qui menait à une grotte. De chaque côté se trouvaient des statues d'hommes courageux transformés en pierre pour avoir osé regarder Méduse. Il régnait partout un calme parfait. Personne n'allait jamais par là, pas même les animaux.

Lorsqu'il se trouva à l'entrée de la grotte, Persée fit ce qu'Athéna lui avait recommandé et regarda son bouclier étincelant, s'en servant comme d'un miroir. Dedans, il aperçut le reflet de Méduse. Ce monstre était si hideux qu'il en frissonna d'effroi. Elle l'entendit approcher, mais elle ne put le voir car il portait le casque d'invisibilité. Elle sortit de sa grotte. Sur sa tête, les serpents sifflaient et crachaient.

Les yeux fixés sur son bouclier, Persée bondit vers elle. Il brandit sa faucille et décapita Méduse. Le monstre poussa un hurlement terrible et tomba mort.

Persée ramassa la tête, toujours sans la regarder car elle aurait encore pu le pétrifier. Il ouvrit son sac magique, plaça la tête à l'intérieur et referma le sac à l'aide d'une corde.

# Andromède

Jetant le sac sur son épaule, Persée s'envola de nouveau vers les lointains rivages du Sud. En regardant sous lui, il aperçut une belle jeune fille enchaînée à une corniche. Il descendit en vol plané et atterrit en

douceur à ses côtés. « Qui es-tu, et que fais-tu ici ? »
demanda-t-il.

« Je m'appelle Andromède », répondit la jeune fille, qui
se mit à pleurer. Entre deux sanglots, elle expliqua : « Ma
mère, la reine, a prétendu que j'étais plus belle que les
nymphes de la mer. Mécontentes, elles sont allées se
plaindre à Poséidon, le dieu de la mer. Il s'est mis dans
une telle colère qu'il a inondé le pays de mon père. Le
seul moyen pour lui de sauver son pays, c'était de m'offrir
en sacrifice à un monstre marin qui peut surgir des flots
à tout moment. »

Persée ne pouvait quitter Andromède des yeux, tant sa
beauté était éblouissante. Il trouva enfin la force de
regarder la mer par-dessus son épaule. C'est alors qu'il
aperçut, filant sur la crête des vagues, un monstre aux
yeux énormes, à la gueule grande ouverte et au long
corps de serpent.

Aussitôt, Persée prit son envol et fondit sur le monstre. Une
fois au-dessus de lui, il lui assena plusieurs coups de faucille.
Le monstre tenta bien de saisir Persée dans ses mâchoires,
mais le jeune homme l'esquiva et passa de nouveau à
l'attaque. Bientôt, le monstre blessé se tordait de douleur.
D'un dernier coup de faucille, Persée le tua et il coula à pic.

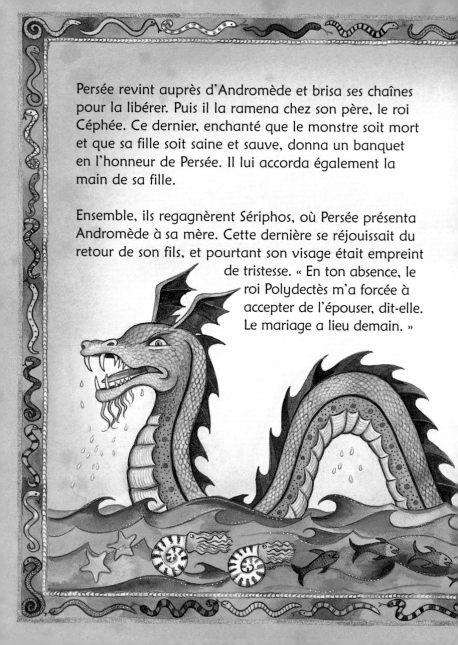

Persée revint auprès d'Andromède et brisa ses chaînes pour la libérer. Puis il la ramena chez son père, le roi Céphée. Ce dernier, enchanté que le monstre soit mort et que sa fille soit saine et sauve, donna un banquet en l'honneur de Persée. Il lui accorda également la main de sa fille.

Ensemble, ils regagnèrent Sériphos, où Persée présenta Andromède à sa mère. Cette dernière se réjouissait du retour de son fils, et pourtant son visage était empreint de tristesse. « En ton absence, le roi Polydectès m'a forcée à accepter de l'épouser, dit-elle. Le mariage a lieu demain. »

Très en colère, Persée se précipita vers le palais pour en découdre avec le roi. En apercevant Persée, Polydectès hésita entre l'étonnement et la crainte. « Voilà, je t'ai rapporté la tête de Méduse, comme tu me l'avais demandé ! » s'écria Persée. Sans la regarder, il sortit alors la tête du sac et la brandit devant le roi. Instantanément, Polydectès et tous ses amis furent transformés en pierre.

Persée offrit le trône de Sériphos au frère du roi, qui régna sur l'île avec bonheur. Il rendit le casque, les sandales ailées, la faucille et le sac magique aux dieux, en les remerciant. Puis il épousa Andromède. Tous deux vécurent heureux pendant de longues années.

# La prophétie

Excellent athlète, Persée était champion de lancer du disque, de lutte, de course et de javelot. Une année, les célèbres Jeux olympiques avaient lieu sur l'île de son grand-père, aussi Persée décidat-il d'y participer.

De nombreuses équipes d'athlètes étaient présentes sur le stade, et tous les habitants de l'île étaient venus les applaudir.

Une fois les épreuves de course et de lutte terminées, ce fut au tour des lanceurs de disque. Persée s'avança alors, son disque à la main. Après avoir pris position, il lança le disque de toutes ses forces. Celui-ci fendit l'air, mais fut détourné dans sa course par une bourrasque et s'en alla frapper le roi Acrisios en pleine tête. Celui-ci tomba raide mort. Ainsi, la prophétie s'était réalisée : Acrisios avait été tué par son petit-fils.

# Le char du Soleil

Chaque matin, à l'aube, le dieu Hélios entreprenait son voyage à travers le ciel depuis l'orient. Pilotant son char, qui était tiré par quatre chevaux, il répandait lumière et chaleur sur la terre. Pendant la journée, il voyait tout ce qu'il se passait sur terre. Le soir venu, son char s'enfonçait derrière l'horizon, à l'ouest, et la nuit tombait. Hélios embarquait alors à bord d'une grande jatte en or et remontait, de l'autre côté de la terre, vers l'orient.

Un jour, le fils d'Hélios, Phaéton, alla trouver son père. « S'il te plaît, implora-t-il, pourrais-tu m'accorder un souhait ? » Hélios donna son accord. « Je voudrais conduire ton char, dit Phaéton, juste le temps d'une journée. Vois-tu, mes amis ne croient pas que je suis ton fils. Mais s'ils me voyaient faire traverser le ciel au Soleil, ils sauraient que je dis la vérité. »

Hélios ne souhaitait pas que son fils conduise son char : en effet, ses chevaux étaient sauvages et très puissants. Mais il avait promis et dut consentir. « Tu devras faire attention, dit-il à son fils. Il faut garder

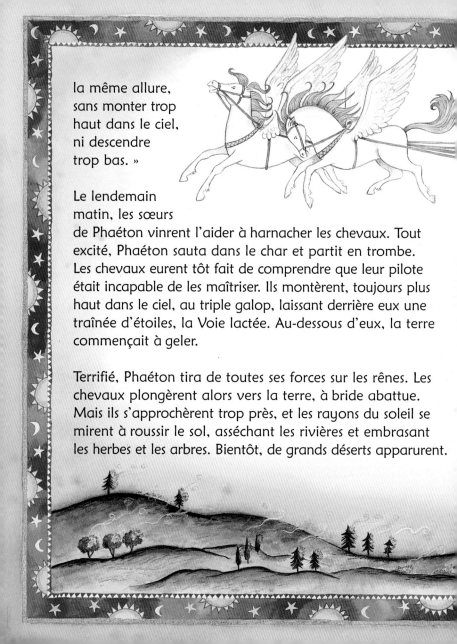

la même allure,
sans monter trop
haut dans le ciel,
ni descendre
trop bas. »

Le lendemain
matin, les sœurs
de Phaéton vinrent l'aider à harnacher les chevaux. Tout
excité, Phaéton sauta dans le char et partit en trombe.
Les chevaux eurent tôt fait de comprendre que leur pilote
était incapable de les maîtriser. Ils montèrent, toujours plus
haut dans le ciel, au triple galop, laissant derrière eux une
traînée d'étoiles, la Voie lactée. Au-dessous d'eux, la terre
commençait à geler.

Terrifié, Phaéton tira de toutes ses forces sur les rênes. Les
chevaux plongèrent alors vers la terre, à bride abattue.
Mais ils s'approchèrent trop près, et les rayons du soleil se
mirent à roussir le sol, asséchant les rivières et embrasant
les herbes et les arbres. Bientôt, de grands déserts apparurent.

Zeus, qui régnait sur les autres dieux, observait la scène depuis son palais, au sommet de l'Olympe. « Ce jeune hurluberlu va détruire le monde ! » rugit-il avec colère. Il pointa les doigts vers Phaéton. Aussitôt, un éclair en sortit qui tua le fils du Soleil. Il tomba dans une rivière et le char poursuivit sa course folle vers l'ouest.

Au bord de la rivière, les sœurs de Phaéton se mirent à pleurer leur frère. Elles pleurèrent tellement qu'elles se transformèrent en saules pleureurs, ces arbres qu'on aperçoit encore aujourd'hui sur les berges des cours d'eau. Hélios ne laissa jamais plus personne conduire son char à sa place.

# Les aventures d'Ulysse

Allongé sur la plage, Ulysse contemplait paresseusement la mer étincelante sous le soleil. Non loin de là, dans le campement installé aux abords de la ville de Troie, il entendait ses soldats grecs se plaindre. « J'en ai assez, grommelait l'un d'eux, nous ne réussirons jamais à gagner cette guerre. »
« Nous sommes ici depuis dix ans, lança un autre. Dix ans ! Je vote pour que nous rentrions chez nous. »

En son for intérieur, Ulysse savait bien qu'ils avaient raison. Il y a dix ans que j'ai quitté ma chère épouse Pénélope et mon fils Télémaque, songea-t-il. Dix ans que j'ai quitté l'île d'Ithaque sur laquelle je règne, pour aller mener cette guerre, depuis que Pâris, le prince de Troie, a capturé Hélène, aux dires de tous la plus belle femme du monde. Il soupira de découragement.

Dix ans plus tôt, les Grecs, sous la conduite d'Ulysse, avaient constitué une armée et une flotte immense. Certains prétendaient qu'elle comportait un millier de navires. Ils étaient partis pour Troie reprendre Hélène au prince et la rendre à son mari Ménélas. Malgré des combats acharnés qui avaient fait de nombreuses victimes, ils n'avaient jamais pu pénétrer à l'intérieur de Troie.

Ulysse se leva et s'en alla trouver les autres chefs militaires.
« Les soldats s'impatientent, ils veulent rentrer chez eux,
dit-il.
– Nous ne pouvons abandonner maintenant, répliqua
un roi.
– J'ai une idée », fit alors Ulysse.
Et il leur communiqua son plan.

# Le cheval de Troie

Depuis plusieurs jours, les Troyens intrigués
observaient les Grecs depuis les murs de leur ville. Les
soldats d'Ulysse avaient empilé d'énormes tas de bois
sur la plage. À présent, ils le sciaient, le découpaient et
tapaient dessus à coups de marteaux. Les Troyens se
demandaient bien ce que les Grecs avaient en tête.

Puis, un matin à l'aube, les gardes troyens découvrirent
avec stupeur que la plage était déserte. Le campement
grec et toute la flotte avaient disparu. Il ne restait plus

rien qu'un énorme cheval en bois. « Ils sont partis, la guerre est finie, nous avons gagné, nous avons gagné ! » s'écrièrent les Troyens. Ils ouvrirent alors les portes de la ville et se ruèrent vers la plage.

Intrigués, ils examinèrent le cheval de bois, tournèrent autour et le tapotèrent.
« Pourquoi les Grecs ont-ils laissé ça ? interrogea l'un d'eux.
– Ce doit être une offrande pour la déesse Athéna, répondit un autre. Nous devrions le pousser jusqu'en ville. »

Sitôt dit, sitôt fait. Le cheval trôna bientôt au beau milieu de la grand-place de Troie. Ce soir-là, une fête fut organisée pour célébrer la fin de la guerre. Après avoir mangé et bu, les Troyens se mirent à chanter et à danser jusqu'à ce qu'ils tombent d'épuisement. Ils allèrent alors se coucher.

Une fois la ville plongée dans le silence, des craquements se firent entendre à l'intérieur du cheval de bois et une porte secrète s'ouvrit. À l'intérieur se trouvaient dix Grecs. « Pas un bruit », murmura Ulysse à ses soldats. Il fit alors descendre une corde jusqu'au sol. Une fois que tous les soldats eurent mis pied à terre, ils se dispersèrent dans la ville. Après avoir assommé l'un après l'autre les gardes assoupis, ils ouvrirent toutes grandes les portes de Troie.

Durant la nuit, les navires grecs étaient revenus à Troie et l'armée attendait sur la plage. Dès que les portes s'ouvrirent, les soldats envahirent la ville. Avant même que les Troyens n'aient le temps de sortir du lit et de saisir leurs armes, les Grecs les massacrèrent.

Ils sauvèrent Hélène, s'emparèrent des femmes et enfants pour en faire leurs esclaves, volèrent le trésor des Troyens et incendièrent la ville. Le plan d'Ulysse avait fonctionné, et la guerre était bel et bien finie. Enfin, les Grecs allaient pouvoir rentrer chez eux en compagnie d'Hélène. Ils se partagèrent le trésor, le chargèrent à bord des navires et prirent la mer avec joie, laissant derrière eux la ville dévastée.

Au bout de quelques jours, une énorme tempête se déchaîna et le navire d'Ulysse fut séparé des autres. Quand le calme revint, Ulysse et ses hommes étaient seuls.

Au cours des semaines qui suivirent, ils firent escale, tantôt sur une île, tantôt dans un port. Parfois, ils étaient accueillis à bras ouverts. Parfois, il leur fallait combattre des ennemis farouches avant de prendre la fuite. D'autres tempêtes secouèrent leur navire, et ils longèrent plus d'une fois des terres inhospitalières dont les escarpements rocheux leur interdisaient d'accoster. Lorsque le vent se calmait, il leur fallait ramer jusqu'à l'épuisement.

# Cyclope, le géant borgne

Au bout de plusieurs mois, Ulysse et ses hommes parvinrent à une île où ils purent débarquer et trouver à boire et à manger. Ils ne virent âme qui vive, mais aperçurent une immense grotte au sommet d'une falaise. « Nous ferions mieux d'aller explorer les environs », dit Ulysse. Il se munit d'une outre pleine de vin et entreprit la traversée de l'île à la tête de ses hommes. Comme ils ne rencontraient toujours personne, ils décidèrent d'escalader la falaise pour aller jeter un coup d'œil à l'intérieur de la grotte.

Ulysse s'arrêta à l'entrée, tenta de percer l'obscurité du regard et appela : « Il y a quelqu'un ? » Mais personne ne répondit. Il pénétra dans la grotte et regarda autour de lui. D'énormes jattes de lait et des fromages y étaient entassés. « Nous n'avons qu'à manger en attendant que les propriétaires reviennent », dit Ulysse à ses hommes.

Ils venaient d'entamer leur repas lorsqu'ils entendirent un bruit fracassant. Tous se relevèrent d'un bond. La silhouette d'un Cyclope géant, qui n'avait qu'un œil, se découpa à l'entrée de la grotte, bloquant la lumière du soleil. Le monstre fit entrer un troupeau de moutons dans la grotte. Puis il fit basculer un énorme rocher devant l'entrée.

De son œil unique, le Cyclope contempla longuement les Grecs. « Qui êtes-vous et que faites-vous dans ma grotte ? gronda-t-il.

– Nous sommes des soldats grecs. Nous venons de Troie et nous nous dirigeons vers Ithaque, dit Ulysse. Nous cherchions à boire et à manger. »

Soudain, le Cyclope tendit une main énorme vers deux des soldats, s'en saisit et les fourra dans sa bouche, sous les yeux horrifiés d'Ulysse et de ses hommes. « Derrière ces rochers, vite ! » murmura Ulysse. Ils se réfugièrent dans un recoin obscur de la grotte et attendirent que le Cyclope s'allonge et s'endorme. « Il faut le tuer avant qu'il ne nous dévore tous, chuchota l'un des soldats.

– Non, répondit Ulysse. Si nous le tuons, nous serons pris au piège ici. Nous n'arriverons jamais à déplacer le rocher qui bloque l'entrée. Il faut attendre. »

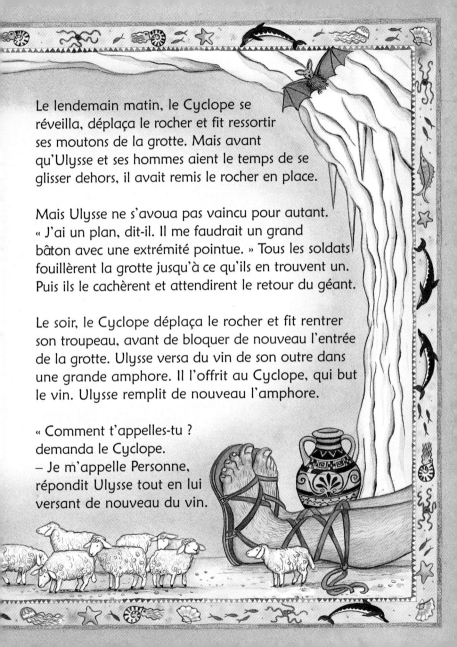

Le lendemain matin, le Cyclope se réveilla, déplaça le rocher et fit ressortir ses moutons de la grotte. Mais avant qu'Ulysse et ses hommes aient le temps de se glisser dehors, il avait remis le rocher en place.

Mais Ulysse ne s'avoua pas vaincu pour autant. « J'ai un plan, dit-il. Il me faudrait un grand bâton avec une extrémité pointue. » Tous les soldats fouillèrent la grotte jusqu'à ce qu'ils en trouvent un. Puis ils le cachèrent et attendirent le retour du géant.

Le soir, le Cyclope déplaça le rocher et fit rentrer son troupeau, avant de bloquer de nouveau l'entrée de la grotte. Ulysse versa du vin de son outre dans une grande amphore. Il l'offrit au Cyclope, qui but le vin. Ulysse remplit de nouveau l'amphore.

« Comment t'appelles-tu ? demanda le Cyclope.
– Je m'appelle Personne, répondit Ulysse tout en lui versant de nouveau du vin.

– En voilà un drôle de nom ! » s'esclaffa le Cyclope. Puis il s'allongea et se mit bientôt à ronfler.

« C'est le moment, lança Ulysse à ses hommes. Apportez-moi ce bâton que nous avons caché. » Saisissant le bâton, Ulysse s'approcha du Cyclope endormi et lui creva l'œil.

Le monstre se leva d'un bond et vacilla en poussant des cris affreux. Alertés par ses hurlements, les autres Cyclopes de l'île vinrent aux nouvelles.
« Que se passe-t-il ?
– C'est Personne qui m'a blessé. C'est Personne qui m'a crevé l'œil, répondit le Cyclope.
– Si personne ne t'a blessé, pourquoi fais-tu donc tant de bruit ? » demandèrent ses compagnons, interloqués. Et de retourner dans leur grotte en marmonnant :
« Il est devenu fou. »

Le lendemain matin, le

Cyclope poussa le rocher qui bloquait l'entrée de sa grotte et s'apprêtait à faire sortir ses moutons. « Vous ne pourrez jamais vous enfuir ! » s'exclama-t-il. Mais Ulysse avait un plan. Il attacha les moutons trois par trois. « Accrochez-vous sous celui du milieu et tenez bon », ordonna-t-il à ses hommes. Au passage, le Cyclope caressa bien le dos de ses moutons, mais il ne devina pas la présence des hommes accrochés sous leur ventre.

Une fois sortis de la grotte, ils se précipitèrent à bord du navire et se mirent à ramer comme des fous. Le Cyclope, qui les avait entendus s'enfuir, hurlait de rage. Il lança d'énormes rochers en direction du navire, mais comme il ne voyait rien, il manqua sa cible. Ulysse et ses hommes se crurent sauvés.

Mais le Cyclope était le fils de Poséidon, dieu de la mer. Il supplia son père de le venger de ces maudits Grecs qui l'avaient rendu aveugle. Poséidon promit de les punir.

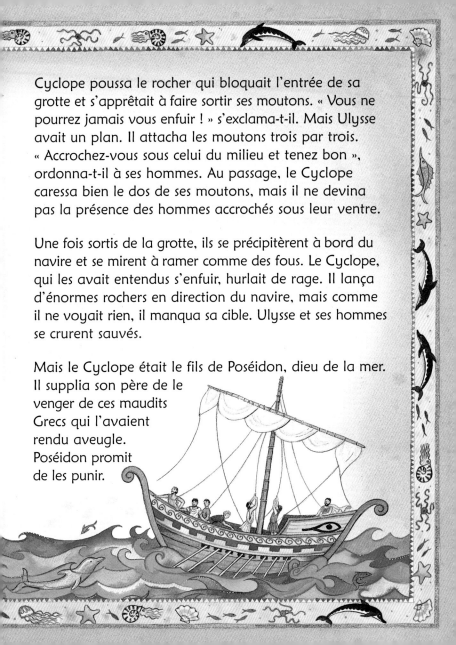

# Une outre pleine de vents

Ulysse et ses hommes poursuivirent leur route et abordèrent dans une autre île. C'est le roi Éole, le gardien des vents, qui les y accueillit. Il organisa pour eux banquet après banquet, tant et si bien qu'ils passèrent de nombreuses semaines agréables en compagnie du roi, de sa femme et de leurs enfants.

Lorsque fut venu le moment de partir, le roi Éole offrit à Ulysse une outre en cuir. « J'ai mis à l'intérieur les vents du nord, du sud et de l'est, mais pas le vent d'ouest. Cette douce brise vous poussera vers l'est et vers Ithaque. » Ulysse remercia le roi et emporta l'outre à bord. Dès que l'équipage eut hissé la voile, le vent d'ouest fit avancer le navire. Ulysse n'avait pas dit à ses hommes ce que contenait l'outre, aussi leur curiosité était-elle aiguisée. Un jour, pendant qu'Ulysse dormait, l'un d'eux suggéra : « Si nous ouvrions cette outre ? Elle contient peut-être un trésor. » Et il dénoua les liens qui la gardait fermée.

Aussitôt, une formidable tempête se déchaîna. Les vents du nord, du sud et de l'est, sortis de l'outre, ramenèrent le navire à son point de départ. Personne ne pouvait l'arrêter.

# Circé et la magie

Toujours poussé par les vents, le navire finit par atteindre une autre île. Ulysse y envoya en reconnaissance un groupe d'hommes conduits par Eurylochus. Il les chargea de trouver à boire et à manger pendant que les autres garderaient le navire. Il ne voulait pas risquer de se faire capturer par d'autres géants.

Eurylochus et ses amis se mirent en route. Ils marchèrent pendant des heures sans rencontrer personne. Enfin, ils aperçurent un palais à travers les arbres. Lorsqu'ils y parvinrent, une femme très belle en sortit. Elle leur sourit. « Je suis Circé, leur dit-elle. Venez. Vous devez avoir faim. »

Elle les conduisit dans une salle immense. Sur une table étaient disposées d'énormes assiettes regorgeant des mets les plus délicieux. Les hommes mangèrent et burent autant qu'ils le pouvaient. Puis ils se mirent à rire et à chanter, remercièrent Circé de sa gentillesse, sans même s'apercevoir qu'Eurylochus avait disparu. C'est que Circé avait éveillé ses soupçons. Lorsque les hommes étaient entrés dans le palais, il était resté dehors et avait observé la suite des événements par une fenêtre.

Aussitôt le banquet terminé, Circé agita sa baguette magique et les hommes furent aussitôt transformés en pourceaux. Puis elle les conduisit hors du palais. Tous grognaient à qui mieux mieux. Eurylochus regagna le navire en hâte pour aller raconter à Ulysse ce qu'il avait vu.

« Je dois les sauver », dit Ulysse. Il ramassa ses armes et se précipita vers le palais. En chemin, il eut la surprise de voir Hermès, le messager des dieux, fondre sur lui depuis le ciel. « La déesse Athéna m'a demandé de te donner cette fleur, fit Hermès en voletant à côté d'Ulysse. Mange-la et tu seras protégé contre les sortilèges de Circé. »

Ulysse le remercia et s'empressa de manger la fleur blanche. Lorsqu'il arriva au palais, Circé vint l'accueillir en personne. « Entre donc, dit-elle en souriant, tu dois avoir faim. » Sûr d'être en sécurité, il la remercia et la suivit à l'intérieur.

Circé lui tendit une coupe de vin, mais il s'agissait en fait d'une potion magique.

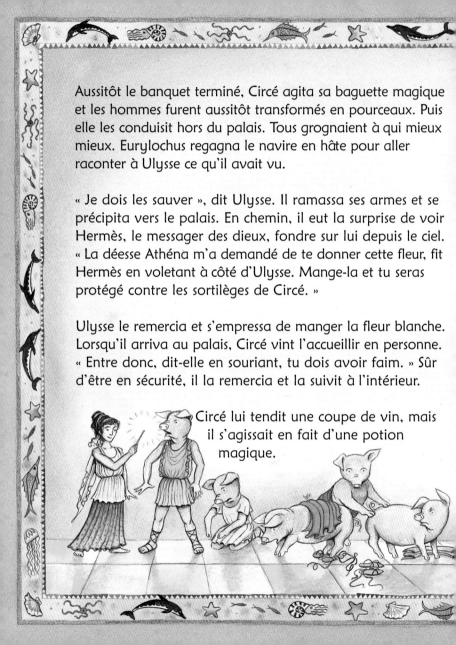

Elle regarda Ulysse la boire, puis lui tapota le bras de sa baguette magique. Mais au lieu de se transformer en cochon, Ulysse se releva d'un bond et la menaça de son épée. « Conduis-moi jusqu'à mes hommes », ordonna-t-il.

Terrifiée de constater que sa baguette magique n'avait plus aucun pouvoir, Circé entraîna Ulysse jusqu'à une porcherie, à l'extérieur du palais. « Transforme-les de nouveau », commanda Ulysse. Circé enduisit les cochons d'un onguent magique, et aussitôt, ils redevinrent humains.

« Revenez dans mon palais et je vous offrirai un autre festin... mais cette fois, sans potion magique », promit Circé. Ulysse et ses hommes acceptèrent. On alla aussi chercher les soldats qui montaient la garde sur le navire, et tous profitèrent de l'hospitalité de Circé pendant toute une année.

Enfin, Ulysse décida que le moment était venu de prendre congé. Circé en conçut une grande tristesse. En effet, elle était tombée amoureuse d'Ulysse. Mais elle le savait, il devait partir. Elle lui donna des provisions pour le voyage et l'avertit des nombreux périls qui le menaçaient.

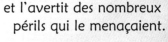

# Les sirènes

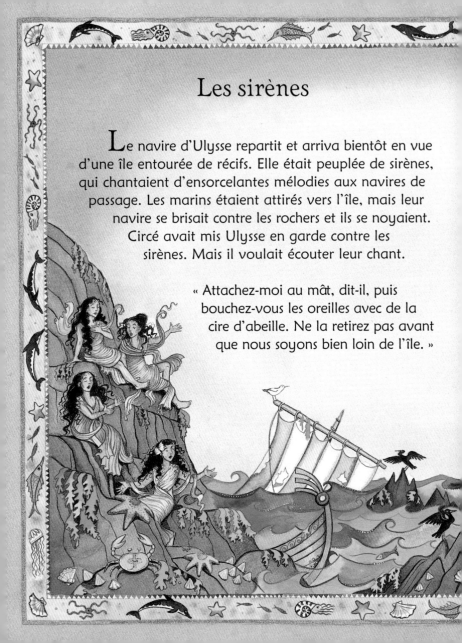

Le navire d'Ulysse repartit et arriva bientôt en vue d'une île entourée de récifs. Elle était peuplée de sirènes, qui chantaient d'ensorcelantes mélodies aux navires de passage. Les marins étaient attirés vers l'île, mais leur navire se brisait contre les rochers et ils se noyaient. Circé avait mis Ulysse en garde contre les sirènes. Mais il voulait écouter leur chant.

« Attachez-moi au mât, dit-il, puis bouchez-vous les oreilles avec de la cire d'abeille. Ne la retirez pas avant que nous soyons bien loin de l'île. »

Ses hommes lui obéirent. Puis ils se mirent à ramer sans crainte. Les sirènes eurent beau chanter de leur voix la plus ensorcelante, aucun d'eux ne les entendit. Furieuses de voir que le navire poursuivait son chemin, les perfides sirènes haussèrent la voix. Seul Ulysse avait succombé à leur charme, et il se débattait dans l'espoir de se détacher.

« Libérez-moi ! Elles m'appellent ! Je dois les rejoindre ! » hurlait-il à tue-tête. Mais ses hommes ne pouvaient l'entendre. Ils continuèrent de ramer jusqu'à ce que le navire se trouve à bonne distance de l'île. C'est alors qu'ils détachèrent Ulysse et ôtèrent la cire de leurs oreilles.

# De Charybde en Scylla

Ulysse et ses hommes continuèrent de voguer sur les flots jusqu'au moment où ils aperçurent un détroit entre deux hautes falaises. Ils entendirent alors un effroyable grondement. Au milieu du détroit se trouvait un tourbillon géant appelé Charybde, une spirale infernale qui aspirait les navires au fond de la mer. Malheureusement, ils devaient traverser ce détroit. Il n'y avait pas d'autre chemin.

« Ramez de toutes vos forces ! ordonna Ulysse. C'est votre seule chance de survie. » Il fit passer le navire aussi près que possible de la falaise afin d'éviter les remous. Tout en ramant, les hommes surveillaient Charybde. Aussi ne virent-ils pas Scylla, le monstre à six têtes, sortir de la caverne où il se cachait, au sommet de la falaise. Avec la rapidité de l'éclair, le monstre arracha six hommes du navire et les engloutit sans pitié.

« Continuez de ramer ! » s'écria Ulysse. Bientôt, le navire se trouva hors d'atteinte de Scylla et à bonne distance du tourbillon. Le vent se mit à gonfler la grand-voile et l'équipage put enfin se reposer.

# Le bétail sacré

Le navire atteignit bientôt une autre île. Ulysse conseilla à ses hommes de ne pas toucher aux vaches qui s'y trouvaient. « Elles appartiennent au dieu Hélios », expliqua-t-il. Les premiers jours, les hommes chassèrent des animaux sauvages et pêchèrent pour se nourrir. Mais Ulysse dut s'absenter du campement, et ils en profitèrent pour tuer et rôtir un veau.

À son retour, Ulysse découvrit ce qu'ils avaient fait. Il prit peur : « Les dieux nous puniront... » En effet, en apprenant ce qui s'était passé, Hélios sombra dans une colère noire.

# Tempête et naufrage

Au bout d'une semaine, Ulysse et son équipage reprirent la mer. Au début, une douce brise favorisa leur progression. Mais bientôt, le vent forcit, de gros nuages noirs emplirent le ciel et l'orage gronda. C'est Hélios qui avait provoqué cette tempête. « Affalez la voile ! » hurla Ulysse. L'équipage fit ce qu'il pouvait pour enrouler le vaste carré de toile, mais trop tard ! Le mât se brisa, et une énorme vague recouvrit le navire, qui se retourna et coula.

Ulysse s'accrocha au mât brisé, appelant en vain ses hommes. Ils s'étaient tous noyés... Le vent et les vagues poussèrent ce radeau de fortune et, au bout de neuf jours, il s'échoua sur une île merveilleuse.

# La déesse Calypso

C'est la déesse Calypso qui régnait sur cette île. Elle conduisit Ulysse jusqu'à son palais où il vécut sous son charme pendant sept ans. Elle était tombée amoureuse de lui et le suppliait de rester avec elle pour toujours. Mais chaque jour, il allait s'asseoir sur la plage et contemplait l'horizon en se demandant s'il reverrait jamais sa chère île d'Ithaque.

Enfin, la déesse Athéna alla trouver Zeus et lui dit : « Il est temps que nous aidions ce voyageur à rentrer chez lui. » Zeus acquiesça. Il envoya donc son messager, Hermès, demander à Calypso de laisser partir Ulysse. Calypso n'eut d'autre choix que d'obéir à cet ordre. Elle donna à Ulysse le bois et les outils dont il avait besoin pour construire un nouveau navire. Ulysse prit enfin congé de Calypso.

Pendant quelques jours, les vents furent favorables. C'est alors que Poséidon déclencha une tempête pour venger son fils, le Cyclope, qu'Ulysse avait rendu aveugle. Le navire fit naufrage et Ulysse fut plongé dans une mer déchaînée.

Mais Athéna refusait de laisser Ulysse se noyer. Elle veilla sur lui tout le temps qu'il resta agrippé à l'épave de son navire. Enfin, il aperçut au loin la terre et nagea jusqu'au rivage. Là, il se traîna sur le sable, exténué, puis resta allongé sans bouger, en proie au désespoir.

Le lendemain matin, une princesse qui se promenait sur la plage trouva Ulysse. Elle le conduisit auprès de son père, le roi Alcinoos, qui lui fit bon accueil, lui donna à manger et de quoi s'habiller. Lorsque Ulysse lui parla de son voyage, le roi lui dit : « Ton île, Ithaque, se trouve tout près d'ici. Passe la nuit ici et un de mes navires t'y conduira dès demain. »

# Enfin de retour

À l'aube, Ulysse monta à bord, s'allongea et s'endormit. Il dormait encore profondément lorsque le navire parvint à Ithaque. L'équipage le transporta à terre et le laissa sur la plage. Puis le navire repartit.

Poséidon, le dieu de la mer, avait assisté à la scène. Il était furieux qu'Ulysse soit rentré chez lui sain et sauf et, pour se venger des marins qui l'avaient aidé, il sortit des vagues et pointa son trident vers le navire. En l'espace d'une seconde, celui-ci se transforma en pierre. Le sourire aux lèvres, Poséidon regagna alors les profondeurs de la mer.

Sur la plage, Ulysse se réveilla, ignorant où il se trouvait. Soudain, une belle femme lui apparut. « Je suis la déesse Athéna, dit-elle. Je suis venue t'aider. Tu es resté absent d'Ithaque si longtemps que beaucoup pensent que tu es mort et que tu ne reviendras jamais. Les nobles de l'île veulent épouser ta femme, Pénélope, et s'emparer de ton royaume. »

Ulysse se leva d'un bond. « Je dois la sauver, s'exclama-t-il.
– Pas si vite, objecta Athéna. Ces hommes veulent se
débarrasser de ton fils Télémaque, et ils te tueront toi aussi.
Mais j'ai un plan. Je vais te déguiser en vieux mendiant. Tu
te rendras alors à la cabane du porcher. J'enverrai Télémaque
te retrouver là-bas. » Elle leva la main et Ulysse ressembla
instantanément à un vieux mendiant, vêtu de haillons.

Il remercia Athéna et prit le chemin de la cabane. Le porcher
ne reconnut pas Ulysse. « Entre et mange un morceau avec
moi, dit-il. Je n'ai pas grand-chose, mais tu dois avoir faim. »
Ulysse le remercia et, après le repas, il lui demanda :
« Donne-moi des nouvelles d'Ithaque.
– Elles ne sont pas bonnes, répondit le porcher. Le roi Ulysse
est parti pour Troie il y a vingt ans et on n'a plus jamais
entendu parler de lui. »
À ce moment, la porte de la cabane s'ouvrit et un grand
jeune homme fit son entrée.

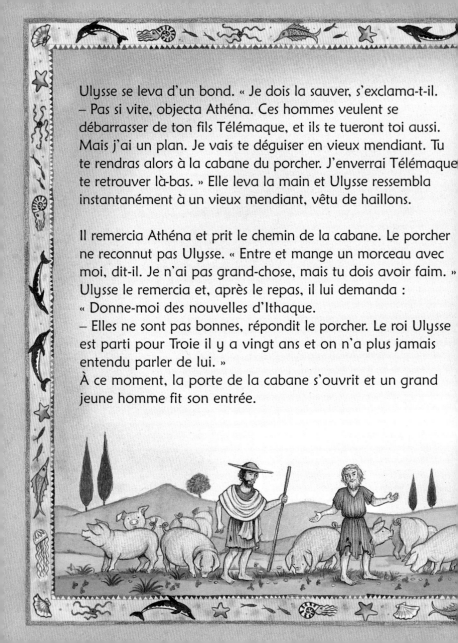

« Prince Télémaque ! s'écria le porcher, en se levant d'un bond.
– Qui est-ce ? demanda Télémaque, en regardant Ulysse.
– Je suis ton père ! répondit Ulysse, en se levant à son tour.
– C'est impossible ! protesta Télémaque. Tu n'es qu'un mendiant.
– La déesse Athéna m'a déguisé afin que personne ne me reconnaisse, expliqua Ulysse. Mais je viens d'apprendre que les nobles veulent épouser ta mère. Parle-moi d'eux. »

Télémaque fixa Ulysse avec perplexité. Disait-il vrai ? Il se décida enfin à le renseigner :
« Ils viennent tous les jours demander à ma mère lequel d'entre eux elle souhaite épouser. Avant, elle disait qu'elle choisirait une fois qu'elle aurait terminé sa tapisserie. Mais ils ont fini par s'apercevoir qu'elle défaisait la nuit ce qu'elle avait tissé le jour, afin de

gagner du temps. Maintenant, ils sont devenus carrément désagréables et ne cachent même plus leur jeu. Ils mangent notre nourriture, boivent notre vin, et je sais qu'ils veulent me tuer. »

Ulysse, Télémaque et le porcher prirent la direction du palais. Là, ils trouvèrent les nobles en train de festoyer comme à leur habitude. Ulysse entra en chancelant et mendia quelques miettes. Tous lui donnèrent quelque chose, sauf un, qui lui jeta un tabouret à la figure.

Le soir venu, lorsque les nobles furent couchés, Ulysse et Télémaque s'emparèrent de leurs armes, qui étaient entreposées dans la grande salle du palais, et ils les dissimulèrent dans les caves. Pénélope, qui avait entendu dire qu'un mendiant se trouvait dans le palais, le fit appeler.

Ulysse resta dans l'ombre. Il ne voulait pas que Pénélope le reconnaisse tout de suite.
« As-tu des nouvelles d'Ulysse ?
– Il est vivant, il va bien et il sera bientôt de retour à Ithaque, répondit Ulysse en déguisant sa voix.
– Merci ! fit Pénélope avec un soupir de soulagement. Maintenant, va trouver ma vieille servante, elle te donnera à manger. »
Sans un mot de plus, Ulysse quitta la pièce.

# Une épreuve de force

Lorsque les nobles se levèrent le lendemain, Ulysse les attendait. Il les écouta discuter et se plaindre de Pénélope, mais garda le silence. Lorsqu'ils eurent fini leur petit déjeuner, Pénélope entra, portant un arc immense.

« J'ai décidé de vous faire subir une épreuve de force, dit-elle. Cet arc appartenait à mon mari Ulysse. J'épouserai l'homme qui sera capable de le tendre et de transpercer d'une seule flèche les manches de douze haches. »

Télémaque installa les douze haches en guise de cible. Pendant ce temps, les nobles se disputaient pour savoir qui tirerait le premier. Tous brûlaient d'envie de faire étalage de leur force. Le premier qui ramassa l'arc essaya péniblement de mettre la corde en place, mais il eut beau faire, jamais il ne parvint à faire ployer l'arc. Les autres se moquèrent de lui. Puis ils essayèrent tous, l'un après l'autre, sans plus de succès. Ils se mirent alors à accuser l'arc d'être trop vieux, trop raide. Bref, rien à voir avec leur force...

Ulysse s'avança vers eux. « Je peux essayer ? » Les nobles éclatèrent de rire.
« Un mendiant qui veut épouser une reine ! s'exclama l'un

d'eux. C'est grotesque ! »
« Qu'on le laisse essayer », dit Pénélope.

Ulysse murmura à Télémaque : « Emmène
ta mère dans sa chambre. » Télémaque
obéit et revint bientôt. En silence, il ferma
et verrouilla toutes les portes de la grande
salle du palais où les nobles étaient réunis.

Ulysse ramassa l'arc, l'arrondit sans
problème et mit la corde en place. Puis
il prit une flèche, banda l'arc et tira.
La flèche traversa les douze haches.
À ce moment, Athéna transforma le vieux

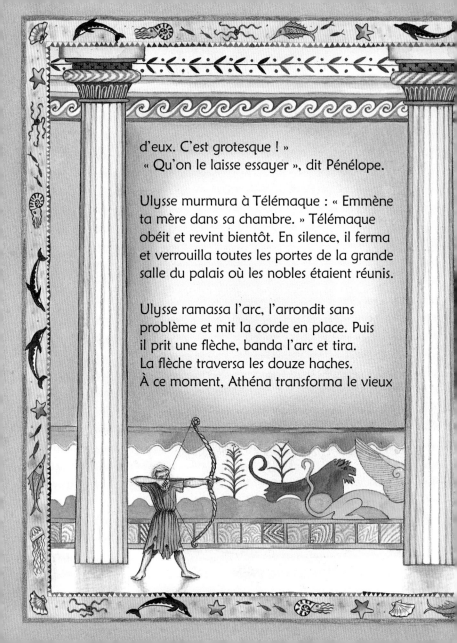

mendiant et c'est Ulysse qui apparut,
grand, fort, vêtu de beaux vêtements
et armé d'une épée tranchante et
d'une longue lance.

« Ulysse ! » s'écrièrent les nobles
abasourdis. Ils se mirent en quête de
leurs armes, mais elles n'étaient plus
là. Pris de panique, ils se précipitèrent
vers les portes, mais elles étaient
verrouillées. L'un d'entre eux parvint
toutefois à se glisser à l'extérieur et
retrouva les armes dans les caves.
Dégainant son épée, Télémaque vint

se placer au côté de son père et tous deux menèrent un combat terrible. Leurs adversaires étaient beaucoup plus nombreux, mais Ulysse et Télémaque parvinrent à les tuer tous.

La servante, restée cachée derrière une colonne, s'empressa d'aller raconter à Pénélope ce qu'elle avait vu. Pénélope regagna la grande salle en hâte. En apercevant Ulysse, elle resta figée sur place. Elle ne l'avait pas vu depuis vingt ans. « Es-tu vraiment mon mari, ou est-ce un tour des dieux ? demanda-t-elle.
— Ma chère et fidèle épouse, répondit Ulysse, c'est bien moi. »

Mais Pénélope voulut le soumettre à une autre épreuve. « Va dans ma chambre et déplace le lit dans une autre pièce, demanda-t-elle à sa vieille servante.
— Elle n'y parviendra pas, intervint Ulysse. J'ai construit ce lit autour d'un arbre. Il est impossible de le déplacer.
—Toi et moi, nous sommes les seuls à connaître l'existence de cet arbre, dit alors Pénélope. Cela prouve que tu es vraiment Ulysse. » Et elle se jeta à son cou.

« Oui, je suis enfin revenu chez moi, auprès de ma femme, et pour régner de nouveau sur mon royaume, dit Ulysse. Et vous ne croirez jamais tout ce que j'ai à vous raconter. »

# Thésée et le Minotaure

Le Minotaure, un terrible monstre, vivait dans le Labyrinthe, un réseau de galeries souterraines où tout le monde se perdait, situé sous le palais du roi Minos de Crète. Mi-homme, mi-taureau, le Minotaure se nourrissait d'êtres humains. Pour venger son fils tué à Athènes, le roi exigeait que, chaque année, sept jeunes filles et sept jeunes hommes d'Athènes soient envoyés en Crète, et livrés en pâture au Minotaure.

Thésée, le fils du roi d'Athènes, était un jeune homme très courageux et très intelligent, qui adorait l'aventure et ne pouvait résister au moindre défi. Une année, il proposa de se rendre lui-même en Crète, avec six autres jeunes hommes. Il était résolu à tuer le Minotaure.

Lorsque les quatorze jeunes Athéniens débarquèrent en Crète, ils furent conduits au palais du roi Minos. Là, la fille du roi, Ariane, tomba immédiatement amoureuse de Thésée : il était si beau ! Lorsqu'il fut seul, elle alla le rejoindre en secret.

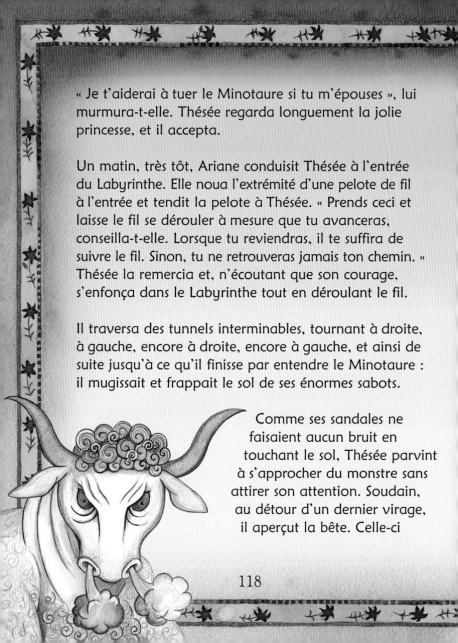

« Je t'aiderai à tuer le Minotaure si tu m'épouses », lui murmura-t-elle. Thésée regarda longuement la jolie princesse, et il accepta.

Un matin, très tôt, Ariane conduisit Thésée à l'entrée du Labyrinthe. Elle noua l'extrémité d'une pelote de fil à l'entrée et tendit la pelote à Thésée. « Prends ceci et laisse le fil se dérouler à mesure que tu avanceras, conseilla-t-elle. Lorsque tu reviendras, il te suffira de suivre le fil. Sinon, tu ne retrouveras jamais ton chemin. » Thésée la remercia et, n'écoutant que son courage, s'enfonça dans le Labyrinthe tout en déroulant le fil.

Il traversa des tunnels interminables, tournant à droite, à gauche, encore à droite, encore à gauche, et ainsi de suite jusqu'à ce qu'il finisse par entendre le Minotaure : il mugissait et frappait le sol de ses énormes sabots.

Comme ses sandales ne faisaient aucun bruit en touchant le sol, Thésée parvint à s'approcher du monstre sans attirer son attention. Soudain, au détour d'un dernier virage, il aperçut la bête. Celle-ci

118

devina sa présence et leva la tête. Ses yeux rougeoyaient dans la pénombre... le Minotaure était terrifiant.

Il poussa un horrible mugissement et chargea. Esquivant ses cornes massives, Thésée frappa le Minotaure avec son épée, à plusieurs reprises. Le monstre poussa un nouveau mugissement assourdissant. Mais Thésée poursuivit bravement la bataille jusqu'à ce que le Minotaure s'écroule sur le sol, mort.

Le temps de reprendre son souffle, Thésée repartit en sens inverse et retrouva sans peine la sortie grâce au fil d'Ariane. Celle-ci l'attendait avec impatience. « J'ai tué le Minotaure, lui confia-t-il, mais nous devons nous dépêcher de filer avant que ton père s'en aperçoive. »

Il était encore bien tôt lorsque les gardes, à peine réveillés, aperçurent Ariane et Thésée, qui rentraient en hâte au palais, où les jeunes Athéniens étaient enfermés dans leur chambre.

Thésée leur rendit aussitôt la liberté. « Regagnez notre bateau, mais ne faites aucun bruit », leur dit-il. Ils suivirent Ariane et Thésée jusqu'à la plage, montèrent à bord, hissèrent la voile et regagnèrent Athènes sans difficulté.

# Pygmalion et sa femme

En contemplant l'énorme bloc de marbre qu'il était en train de sculpter, Pygmalion poussa un soupir. Très habile de ses mains, il fabriquait des statues magnifiques, mais il souffrait de la solitude, car il ne trouvait pas à se marier.

Un vieil ami, qui le regardait travailler, lui dit alors : « Allons, ne fais pas cette tête. Il y a des tas de jolies filles que tu pourrais épouser.
— Non, ce n'est pas vrai, répondit Pygmalion, en soupirant de nouveau. J'en ai rencontré beaucoup, mais aucune dont je puisse tomber amoureux. Certaines d'entre elles sont très jolies, mais elles ont toutes un cœur de pierre. De plus, on voit tellement de mariages malheureux. Tant de femmes se conduisent mal avec leur mari. Je ne veux pas d'une épouse comme ça. »

Pygmalion avait passé de nombreuses semaines à sculpter sa dernière statue. C'était son chef-d'œuvre. Elle représentait une très belle jeune fille, et plus Pygmalion la contemplait, plus elle lui plaisait. Il lui mit un collier de fleurs autour du cou et déposa un baiser sur sa joue de marbre glacée.

Quelques jours plus tard, une grande fête était organisée pour Aphrodite, déesse de l'amour. Pygmalion se rendit à son temple avec une offrande. Pendant des heures, il s'agenouilla devant la statue d'Aphrodite et l'implora de donner vie à la statue qu'il venait lui-même de terminer.

Il finit par rentrer chez lui, triste et épuisé, et s'endormit aussitôt. Mais Aphrodite avait entendu les prières de Pygmalion et elle éprouvait de la compassion pour lui. Elle décida de l'aider.

Le lendemain matin, Pygmalion se rendit dans son atelier pour contempler sa statue. Elle lui sembla différente. Frottant ses yeux encore pleins de sommeil, il la regarda de nouveau. Puis il lui caressa la joue. Ce n'était plus du marbre glacé, mais la joue douce et tiède d'une femme. Ses yeux brillaient d'un éclat nouveau, et son corps remua imperceptiblement. La statue était vivante.

Ivre de joie, Pygmalion s'agenouilla et remercia Aphrodite. Il ne tarda pas à épouser sa belle statue vivante, qu'il nomma Galatée. Tous deux vécurent très heureux ensemble.

# Éros et Psyché

« **M**a fille est la plus belle du monde », se vantait le père de Psyché. « Elle est encore plus belle qu'Aphrodite », ajoutait sa mère. Un jour, Aphrodite, déesse de l'amour, les entendit, ce qui déclencha sa fureur. Comment pouvaient-ils prétendre qu'une mortelle ordinaire puisse être plus belle qu'une déesse ? Elle s'en alla aussitôt trouver son fils, Éros.

Éros était un jeune homme espiègle, qui se promenait toujours avec son arc et ses flèches magiques. Lorsqu'une de ses flèches touchait quelqu'un, la personne ne ressentait aucune douleur mais tombait immédiatement amoureuse de quiconque se trouvait devant elle.

« Éros, ordonna Aphrodite, je veux que cette maudite Psyché tombe amoureuse, de préférence d'un monstre hideux. »

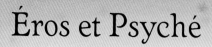

Éros se mit aussitôt en quête de Psyché. Il adorait rendre amoureux l'un de l'autre des gens qui n'avaient rien en

commun, même des dieux. Il trouva Psyché endormie dans l'herbe à flanc de montagne. Il sortit une flèche de son carquois, mais trébucha sur une pierre et la flèche lui perça la jambe. C'est ainsi qu'il tomba lui-même profondément amoureux de Psyché.

Il contempla la jeune fille, se demandant ce qu'il devait faire. Si Aphrodite apprenait qu'il l'aimait, elle serait furieuse. Son amour devait donc rester secret. Éros finit par songer à un plan astucieux. Il transporta Psyché, encore endormie, dans son merveilleux palais et la déposa doucement sur un lit. Puis il la quitta.

Chaque soir, désormais, il se rendait au palais à la nuit tombée et s'en allait avant les premières lueurs de l'aube. Au début, Psyché eut peur de cet homme qu'elle ne pouvait jamais voir. Mais il était si doux avec elle, il lui parlait si gentiment, qu'elle en vint rapidement à apprécier ses visites. « Ne cherche pas à savoir qui je suis », la mit en garde Éros.

Les sœurs de Psyché avaient appris qu'elle vivait seule dans un palais, aussi lui rendirent-elles visite. Bien sûr, elles voulurent tout savoir sur cet homme mystérieux. « Il a peut-être déjà une femme et de nombreux enfants, railla l'une d'elles.

– S'il ne veut pas que tu le voies, c'est peut-être parce qu'il est trop laid ! s'exclama la seconde.

– C'est peut-être un monstre, fit la troisième en gloussant.

– Allez-vous-en. Je ne veux plus vous entendre », répliqua Psyché en se bouchant les oreilles.

Mais une fois ses sœurs parties, il lui fallut admettre qu'elle était aussi curieuse qu'elles. Elle mourait d'envie de voir le visage de cet homme.

Le soir venu, lorsque Éros fut endormi, Psyché descendit au rez-de-chaussée et alluma une petite lampe à huile. À pas de loup, elle regagna la chambre afin de pouvoir enfin découvrir le visage de cet homme mystérieux. En voyant combien il était jeune et beau, elle éprouva un grand bonheur et en tomba amoureuse.

Elle se pencha pour le voir de plus près, et c'est alors qu'une goutte d'huile brûlante tomba sur le bras d'Éros. Il se réveilla et contempla Psyché avec colère. Puis il se leva d'un bond, sortit du palais et s'enfonça dans la nuit.

Psyché se jeta sur le lit et pleura jusqu'au matin. Toute la journée, elle erra tristement dans le palais. Le soir venu, elle attendit désespérément la visite de celui qu'elle aimait. Mais jamais il ne vint.

Pendant des semaines, Psyché attendit et pleura. Puis elle passa des mois à chercher partout Éros. Enfin, incapable de supporter plus longtemps ce supplice, elle implora Aphrodite : « Déesse de l'amour, s'il te plaît, aide-moi ».

Aphrodite l'entendit, mais elle n'était pas disposée à lui pardonner aussi facilement. « C'est mon fils, Éros, que tu aimes. Or, tu ne peux pas t'attendre à ce qu'un dieu aime une stupide petite mortelle telle que toi, dit-elle. Mais il te reviendra peut-être si tu effectues les tâches que je vais te confier. » Psyché le lui promit.

Aphrodite la conduisit jusqu'à une grange, qui contenait un énorme tas de blé, d'orge et de seigle. « Ta première tâche est la suivante : avant ce soir, tu devras avoir séparé ces grains en trois tas différents. »

Psyché s'assit et se mit à trier les grains. Au bout d'une heure, elle s'aperçut qu'il lui faudrait des années pour mener à bien cette tâche.

Elle contempla l'énorme tas de grains, désespérée. C'est alors qu'elle découvrit une longue colonne de fourmis, qui avançait sur le sol. Arrivée au pied du tas principal, chaque fourmi ramassait un grain et le transportait jusqu'à l'un de trois autres petits tas. Le soir venu, blé, orge et seigle avaient été séparés. Leur travail accompli, les fourmis s'en allèrent.

Aphrodite fut fort mécontente de constater que Psyché avait terminé sa tâche. Elle ignorait qu'Éros avait envoyé les fourmis pour l'aider. « Ta prochaine tâche, dit Aphrodite à la jeune fille, sera la suivante : tu iras chercher un pot de la crème de beauté de Perséphone aux Enfers. »

La pauvre Psyché ne savait même pas où se trouvait l'entrée des Enfers. Cependant, une fois encore avec l'aide silencieuse d'Éros, elle s'y aventura courageusement, traversa le Styx avec l'aide du passeur et parvint au trône de Perséphone. La reine des Enfers donna à Psyché le pot de crème et, toujours avec l'aide d'Éros, la jeune fille réussit à ressortir des Enfers.

Elle avait été mise en garde : il ne fallait pas qu'elle ouvre le pot. Mais Psyché se dit que si elle étalait un peu de cette

crème de beauté sur son visage, elle serait plus belle, et qu'Éros l'aimerait peut-être de nouveau. S'arrêtant un moment, elle ouvrit le pot. En réalité, il ne contenait pas de crème de beauté, mais le sommeil éternel : la mort. Aussitôt, Psyché s'endormit.

Éros, qui avait observé la scène, se précipita vers Psyché : il lui souffla sur les yeux pour en chasser le sommeil et la réveiller. Psyché porta le pot à Aphrodite, pendant qu'Éros s'envolait vers le sommet de l'Olympe, où résidait Zeus, le plus puissant de tous les dieux.

« S'il te plaît, Zeus, supplia Éros, je veux épouser Psyché, mais je ne le pourrai que si tu la rends immortelle. » Zeus, qui était de bonne humeur ce jour-là, accepta. Éros alla chercher Psyché et la ramena sur l'Olympe, où ils furent mariés. Ils vécurent très heureux ensemble.

# Lieux et personnages

Voici le nom des principaux lieux et personnages
(hommes ou dieux) qui apparaissent dans ce livre,
ainsi que les relations qu'ils entretiennent :

Acrisios, roi, grand-père de Persée
Æétès, roi de Colchide
Alcinoos, roi qui aide Ulysse
Andromède, femme de Persée
Aphrodite, déesse de l'amour
Arachné, transformée en araignée
Ariane, fille du roi Minos
Artémis, déesse de la nature sauvage
Athéna, déesse de la sagesse
Athènes, capitale de la Grèce
Augias, roi aux écuries très sales
Bellérophon, prince exilé
Céphée, roi, père d'Andromède
Cerbère, gardien des Enfers
Charon, passeur des Enfers
Charybde, tourbillon fatal
Chimère, monstre tué par Bellérophon
Chiron, centaure précepteur de Jason
Circé, magicienne amoureuse d'Ulysse
Cnossos, ville de Crète
Colchide, où se trouve la Toison d'or
Cyclope, géant borgne
Danaé, mère de Persée
Dédale, père d'Icare
Déméter, déesse des récoltes
Diomède, roi dévoré par ses chevaux
Dionysos, dieu de la végétation
Éole, roi des vents
Épiméthée, créateur des animaux
Éros, fils d'Aphrodite
Eurylochus, ami d'Ulysse
Eurysthée, roi de Mycènes
Géryon, tué par Héraclès

Hélios, dieu du Soleil
Héraclès, a effectué douze travaux
Hermès, messager des dieux
Hespérides, jardin aux pommes d'or
Hippolyte, reine des Amazones
Iolcos, ville où réside Pélias
Ithaque, île sur laquelle règne Ulysse
Labyrinthe, où réside le Minotaure
Lycie, région d'Asie mineure
Médée, fille d'Æétès
Méduse, une des Gorgones
Midas, roi cupide
Minos, roi de Crète
Minotaure, monstre tué par Thésée
Orphée, poète et musicien
Pandore, femme d'Épiméthée
Pégase, cheval ailé
Pélias, oncle de Jason
Pénélope, femme d'Ulysse
Persée, héros, fils de Danaé
Perséphone, fille de Déméter
Phaéton, fils d'Hélios
Polydectès, roi de Sériphos
Poséidon, dieu de la mer
Prométhée, a donné le feu aux hommes
Psyché, amoureuse d'Éros
Pygmalion, sculpteur
Scylla, monstre à six têtes
Sériphos, île
Silène, compagnon de Dionysos
Télémaque, fils d'Ulysse
Thésée, fils du roi d'Athènes
Ulysse, roi d'Ithaque